J. M. G. Le Clézio

Tempête

Deux novellas

Gallimard

J. M. G. Le Clézio est né à Nice le 13 avril 1940. Il est originaire d'une famille de Bretagne émigrée à l'île Maurice au XVIIIᵉ siècle. Grand voyageur, J. M. G. Le Clézio n'a jamais cessé d'écrire depuis l'âge de sept ou huit ans : poèmes, contes, récits, nouvelles, dont aucun n'avait été publié avant *Le procès-verbal*, son premier roman paru en septembre 1963 et qui obtint le prix Renaudot. Son œuvre compte aujourd'hui une cinquantaine de volumes. En 1980, il a reçu le Grand Prix Paul-Morand décerné par l'Académie française pour son roman *Désert*.

Il a reçu le prix Nobel de littérature en 2008.

TEMPÊTE

Aux Haenyo,
aux femmes de la mer de l'île d'Udo

La nuit tombe sur l'île.

La nuit remplit les creux, s'infiltre entre les champs, une marée d'ombre qui recouvre tout peu à peu. Au même instant, l'île se vide d'hommes. Chaque matin les touristes arrivent par le ferry de huit heures, ils emplissent les espaces vides, ils peuplent les plages, ils coulent comme une eau sale le long des routes et des chemins de terre. Puis quand vient la nuit, à nouveau ils vident les mares, ils s'éloignent à reculons, ils disparaissent. Les bateaux les emportent. Et vient la nuit.

Je suis arrivé sur l'île la première fois il y a trente ans. Le temps a tout changé. C'est à peine si je reconnais les lieux, les collines, les plages, et la forme du cratère effondré à l'est.

Pourquoi suis-je revenu? Est-ce qu'il n'y avait pas d'autres lieux pour un écrivain en quête d'écriture? Un autre abri, loin de la rumeur du monde, moins criard, moins insolent, un autre endroit pour s'asseoir à sa table de travail et écrire ses lignes à la machine, face au mur ? J'ai voulu revoir cette île, ce bout du monde, ce lieu sans histoire, sans mémoire, un rocher battu par l'océan, et harassé par les touristes.

Trente ans, la durée de vie d'une vache. J'étais venu pour le vent, la mer, les chevaux à demi sauvages qui errent en tirant leur longe, les vaches la nuit au milieu des chemins, leur meuglement tragique en cornes de brume, les jappements des chiens attachés à leur chaîne.

Il y a trente ans il n'y avait pas d'hôtels sur l'île, seulement des chambres à la semaine près du môle, et des restaurants dans des baraques en bois au bord de la plage. Nous avions loué une petite maison en bois sur les hauteurs, sans confort, humide et froide, mais c'était idéal. Mary Song avait douze ans de plus que moi, de beaux cheveux d'un noir presque bleu, des yeux couleur de feuille d'automne, elle chantait le blues à Bangkok dans un hôtel pour touristes fortunés. Pourquoi a-t-elle voulu m'accompagner sur cette île sauvage ? Ce n'était pas mon idée, c'est elle qui en a parlé tout d'abord, je crois bien. Ou elle a entendu quelqu'un qui mentionnait un rocher sauvage, inaccessible en temps de tempête. « J'ai besoin de silence. » Ou bien ce fut mon idée, c'est moi qui ai pensé au silence. Pour écrire, pour recommencer à écrire après les années perdues. Le silence, la distance. Le silence, dans le vent et la mer. Les nuits froides, les amas d'étoiles.

Maintenant tout cela n'est plus qu'un souvenir. La mémoire est sans importance, sans suite. C'est le présent seul qui compte. Je l'ai appris à mes dépens. Le vent est mon ami. Il souffle sans cesse sur ces rochers, il vient de l'horizon à l'est et bute sur la paroi fracturée du volcan, descend sur les collines et passe entre les murets de blocs de lave, file sur le sable de corail et de coquillages brisés. La nuit, dans ma chambre d'hôtel (*Happy Day*, comment ce nom est-il arrivé jusqu'ici, un nom incomplet sur une caisse de bois échouée), le vent siffle à travers les jointures des fenêtres et de la porte, traverse la chambre vide où le lit de fer rouillé ressemble lui aussi à un morceau d'épave. Il n'y a pas d'autre raison à mon exil, à ma solitude, seul le gris du ciel et de la mer, et les appels lancinants des pêcheuses d'ormeaux, leurs cris, leurs sifflements, une sorte de langage inconnu, archaïque, la langue des animaux marins qui ont hanté le monde longtemps avant les hommes… *Aouah, iya, ahi, ahi!*… Les pêcheuses étaient là quand Mary m'a fait connaître l'île. Alors tout était différent. Les pêcheuses de coquillages avaient vingt ans, elles plongeaient sans habit, la ceinture lestée de pierres, portant des masques récupérés sur les cadavres des soldats japonais. Elles n'avaient pas de gants, ni de chaussures.

Maintenant elles ont vieilli, elles sont vêtues de combinaisons de plongée en caoutchouc noir, elles portent des gants en tricot acrylique, des chaussons en plastique de couleur vive. Quand elles ont fini leur journée, elles marchent le long de la route côtière en poussant leur récolte dans des landaus d'enfant. Parfois elles ont des scooters électriques, des triporteurs à essence. Elles ont des couteaux en inox attachés à leur ceinture. Elles ôtent leurs combinaisons de plongée au milieu des rochers, près d'une cabane en parpaings qu'on a construite pour elles, elles se rincent au jet en plein air, puis elles retournent chez elles en clopinant, cassées par les rhumatismes. Le vent a emporté leurs années, les miennes aussi. Le ciel est gris, couleur de remords. La mer est mauvaise, houleuse, elle cogne contre les récifs, sur les pics de lave, elle tourbillonne et clapote dans les grandes flaques, à l'entrée des baies étroites. Sans ces femmes qui pêchent chaque jour, la mer serait ennemie, inaccessible. J'écoute chaque matin les cris des femmes de la mer, le bruit écorché de leur respiration quand elles sortent la tête de l'eau, *ahouiii, iya,* j'imagine le temps passé, j'imagine Mary, disparue, je pense à sa voix qui chantait le blues, à sa jeunesse, à ma jeunesse. La guerre a tout effacé, la guerre a tout brisé. La guerre me paraissait belle en ce temps-là, je voulais l'écrire, la vivre et puis l'écrire. La guerre était une belle fille au corps de rêve, aux longs cheveux noirs, aux yeux clairs, à la voix envoûtante, et elle s'est métamorphosée en vieille hirsute et méchante, en mégère vengeresse, impitoyable, inhumaine. Ce sont les images qui me reviennent, qui montent du plus profond. Corps disloqués, têtes coupées, jonchant les rues sales, flaques d'essence, flaques de sang. Un goût âcre dans la bouche, une sueur mauvaise. Dans un réduit sans fenêtres, éclairé par une seule ampoule électrique nue, quatre hommes tiennent une femme. Deux sont assis sur ses jambes, un a attaché ses poignets avec une sangle, le quatrième est occupé à un viol interminable. Il n'y a pas de bruit, comme dans les rêves. Sauf la respiration rauque, celle du violeur, et un autre souffle, rapide, aigu, de la femme, étouffé par la peur, elle a peut-être crié au début car elle porte la marque d'un coup sur la lèvre inferieure, qui s'est fendue, et le sang qui a coulé a fait une étoile sur son menton. La respiration du violeur s'accélère, une sorte de râle profond, oppressé, un bruit grave et saccadé de machine, un bruit qui s'accélère et semble ne jamais devoir s'arrêter.

Mary c'était longtemps après, Mary qui buvait plus que de raison, et que la mer a prise. « Je pourrais le faire », a-t-elle dit quand nous traversions le détroit qui sépare l'île du continent. Elle est entrée dans la mer au soleil couchant. La marée avait lissé les vagues, les cercles avançaient lentement, couleur de vin. Ceux qui l'ont vue entrer dans la mer ont dit qu'elle était calme, qu'elle souriait. Elle avait revêtu sa tenue de nageuse, une demi-combinaison bleue sans manches, et elle s'est glissée entre les rochers noirs, elle a commencé à nager jusqu'à ce que les vagues, ou l'éclat du soleil couchant la cachent aux yeux des spectateurs.

Je n'ai rien su, rien vu, rien prévu. Simplement, dans la chambre de notre cabane, ses habits étaient pliés et rangés comme si elle partait en voyage. Les bouteilles d'alcool de riz vides, les paquets de cigarettes ouverts. Un sac qui contenait quelques objets familiers, peigne et brosse à cheveux, pince à épiler, miroir, fard, rouge à lèvres, mouchoir, clef, un peu d'argent américain et japonais, tout cela comme si elle allait revenir dans deux heures. L'unique policier de cette île — un homme jeune, cheveux en brosse, l'air d'un adolescent — a fait l'inventaire. Mais il m'a tout laissé, comme si j'étais un parent, un ami. C'est à moi qu'on a demandé de disposer des restes, si on en trouvait, de les incinérer, de les rejeter à la mer. Mais il n'y a jamais rien eu d'autre que ces effets sans importance. La logeuse a fait un choix dans les habits, elle a gardé les jolies chaussures bleues, le chapeau de paille, les bas, les lunettes de soleil, le sac à main. J'ai brûlé les papiers dans la cour. Les clefs, les objets intimes, je les ai jetés à la mer, du pont du bateau qui me ramenait au continent. Un éclat doré a brillé entre deux eaux, j'ai pensé qu'un poisson vorace, un pageot, un mulet les avait avalés.

Le corps n'a jamais été retrouvé. Mary, à la peau douce, ambrée, aux jambes musclées de danseuse, de nageuse, aux longs cheveux noirs. « Mais pourquoi ? » a demandé le policier. C'est tout ce qu'il a dit. Comme si je pouvais avoir un jour la réponse. Comme si j'avais la clef de l'énigme.

Quand la tempête commence, quand le vent souffle en continu de l'horizon de l'est, Mary revient. Non pas que j'aie des hallucinations, ni un début de folie (mais le toubib de la prison, quand il a rédigé son rapport, a mis en tête de mon dossier la fatale lettre Ψ), bien au contraire, tous mes sens sont aiguisés, en alerte, ouverts à l'extrême pour recevoir ce qu'apportent la mer et le vent. Rien de définissable, néanmoins c'est une sensation de vie, et non de mort, qui nimbe ma peau, cela réveille le souvenir de nos jeux amoureux, à Mary et à moi, les longues caresses de bas en haut, dans l'obscurité de notre chambre, le souffle, le goût des lèvres, les baisers profonds qui me faisaient tressaillir, jusqu'à la lente onde de l'amour, nos deux corps unis ventre contre ventre, tout cela qui m'est interdit depuis longtemps, que je me suis interdit, car je suis en prison pour le reste de ma vie.

Dans la tempête j'entends sa voix, je sens son cœur, je sens son souffle. Le vent grince par les interstices de la baie vitrée, s'infiltre par le chant rongé par la rouille, traverse la chambre et fait battre la porte. Alors tout s'arrête dans l'île. Les ferries ne traversent plus le chenal, les scooters et les voitures cessent leur ballet, le jour ressemble à la nuit, sombre, traversé d'éclairs sans tonnerre. Mary est partie un soir de calme plat, dans la mer aussi lisse qu'un miroir. Dans la tempête elle revient, expulsée atome par atome des profondeurs. Au début, je ne voulais pas y croire. J'étais horrifié, je serrais mes tempes entre mes mains pour étouffer ces images. Je me souviens d'un noyé. Non pas une femme, mais un enfant de sept ans, qui a disparu un soir, et Mary et moi l'avons cherché avec les habitants une partie de la nuit. Nous longions la mer, une lampe torche à la main, nous appelions l'enfant, mais nous ne savions pas son nom, Mary criait : « Ohé, chéri ! » Elle était bouleversée, les larmes coulaient sur ses joues. Il y avait ce même vent, ces vagues, cette odeur maudite des abysses. À l'aube, la nouvelle est venue qu'on avait retrouvé le corps de l'enfant. Sur une grève entre les rochers, nous nous sommes approchés, guidés par une plainte qui semblait la voix du vent, mais c'était la mère de l'enfant. Elle était assise dans le sable noir, l'enfant sur ses genoux. L'enfant était nu, il avait été déshabillé par la mer, à part un T-shirt sale qui formait un collier torsadé autour de son buste. Son visage était très blanc, mais ce que j'ai vu tout de suite, c'est que les poissons et les crabes avaient déjà entamé son corps, mangé le bout de son nez, et son pénis. Mary n'avait pas voulu approcher, elle tremblait de peur et de froid, et je l'ai serrée contre moi, dans la chambre nous sommes restés enlacés dans le lit, sans nous caresser, juste à respirer bouche contre bouche.

Cette image me hante, le corps de cette femme étendue en croix tandis que les soldats la besognent, et sous sa bouche meurtrie le sang a séché en étoile noire. Et ses yeux qui me regardent, alors que je suis en retrait, près de la porte, ses yeux qui voient à travers moi, qui voient la mort. Je n'ai jamais rien dit à Mary, et pourtant c'est à cause de cette scène atroce qu'elle a plongé dans la mer pour ne jamais revenir. La mer lave la mort, la mer ronge, détruit et ne rend rien, ou bien un corps d'enfant déjà entamé. Au début, j'ai pensé que je revenais sur cette île pour mourir, moi aussi. Retrouver la trace de Mary, entrer un soir dans la mer et disparaître.

Dans la tempête, elle vient dans ma chambre. C'est un rêve éveillé. Je suis réveillé par l'odeur de son corps mêlé à l'odeur des profondeurs. Un parfum âcre et puissant, acide, violent, sombre, mugissant. Je sens l'odeur d'algues de ses cheveux. Je sens sa peau très douce, lissée par l'usure des vagues, nacrée par le sel. Son corps flotte dans la lueur du crépuscule, se glisse entre les draps, et mon sexe bandé entre en elle, jusqu'au frisson, m'enserre dans sa fièvre glacée, son corps glisse contre le mien, ses lèvres s'appuient sur ma verge, je suis tout à fait en elle, elle est tout entière en moi, jusqu'à l'orgasme. Mary, morte depuis trente ans, jamais retrouvée. Mary revenue du fond de l'océan, qui parle à mon oreille de sa voix un peu rauque, revenue pour me chanter les chansons oubliées, les chansons d'étoiles, qu'elle me chantait au bar de l'hôtel Oriental, la première fois que je l'ai rencontrée. Pas exactement un bar à soldats, et elle pas exactement une chanteuse de bar. À la voir je n'avais pas imaginé qui elle était, née d'un GI et recueillie par une famille de *rednecks* de l'Arkansas, née d'un viol, abandonnée et revenue pour triompher de son éternel ennemi, pour accomplir une vengeance, ou simplement par cet atavisme qui rejette les humains vers l'ornière d'origine, immanquablement. Mais moi je n'étais pas un soldat, c'est ce qu'elle a compris, et c'est sans doute pourquoi elle m'a choisi, ce type vêtu de *fatigues* et les cheveux coupés ras, qui suivait les soldats dans leur parcours, appareil photo à la main, pour tenir la chronique de toutes les guerres. Je me souviens de la première fois que nous nous sommes parlé, après son tour de chant, tard, ou tôt le matin, sur

la terrasse qui surplombe la Ménam Chao Phraya,
elle s'est penchée pour regarder quelque chose à
terre, un papillon noir de nuit qui mourait en
battant des ailes, et par l'échancrure de sa robe
rouge j'ai vu ses seins libres, très doux, attirants.
Elle ne savait rien de moi et moi rien d'elle. Déjà
je portais la plaie rongée du crime, je croyais que
cela passerait. J'avais oublié le passé, la plainte
instruite contre les quatre soldats qui avaient
violé une femme à Hué. Celui qui maintenait ses
bras tordus en arrière avait cogné ses lèvres pour
la faire taire, et l'autre qui la pénétrait sans se
gêner, sans même avoir ôté son froc, et moi qui
regardais, sans rien dire, sans rien faire ou
presque, à peine un début d'érection, mais regarder et se taire, c'est agir.

J'aurais donné n'importe quoi pour avoir été
ailleurs, pour n'avoir pas été témoin. Devant leur
tribunal je ne me suis pas défendu. La jeune
femme était là, au premier rang. J'ai jeté un
regard furtif et je ne l'ai pas reconnue. Elle semblait plus jeune, presque une enfant. Elle était
assise sur le banc, immobile, le visage éclairé par
la barre de néon de la salle. La bouche petite,
fermée, la peau de son visage tirée par son chignon noir. Quelqu'un a lu son témoignage en
anglais, et elle ne bougeait toujours pas. Les
quatre militaires étaient assis sur un autre banc, à
quelques mètres d'elle, et eux non plus ne bou-

geaient pas. Ils ne regardaient personne, juste le
mur d'en face, l'estrade où se tenait le juge. Eux
en revanche m'ont paru plus vieux, déjà bouffis
de graisse, avec le teint terreux des prisonniers.

Je ne l'ai jamais raconté à Mary. Quand je l'ai
rencontrée, dans cet hôtel Oriental, elle m'a
demandé ce que j'avais fait quand j'avais quitté
l'armée. Je lui ai répondu : « Rien… J'ai voyagé,
c'est tout. » Elle ne m'a pas posé de questions,
d'ailleurs je n'aurais jamais eu le courage de
lui dire la vérité : « J'ai été condamné à la prison
pour avoir été témoin d'un crime, et n'avoir rien
fait pour l'empêcher. »

Je voulais vivre avec Mary, voyager avec elle,
l'écouter chanter, partager son corps et sa vie. Si
je lui avais dit tout cela, elle m'aurait chassé. J'ai
passé un an avec elle, jusqu'à cette île. Et un jour
elle a décidé d'entrer dans la mer. Je n'ai jamais
compris. Nous étions cachés. Personne ne nous
connaissait, personne n'a pu lui raconter. Peut-
être qu'elle était folle, tout bonnement, qu'il n'y
a aucune explication à son geste. Elle s'est laissé
emporter par les vagues. Elle était une nageuse
exceptionnelle. Aux États-Unis, quand elle avait
seize ans, elle avait été sélectionnée pour les
jeux Olympiques de Melbourne. Elle s'appelait
Farrell, Mary Song Farrell. Song parce qu'elle
avait été déclarée à ses parents adoptifs sous ce
nom. Sa mère s'appelait probablement Song.
Ou bien elle chantait, je ne sais pas. C'est peut-

être moi qui ai inventé après coup toute cette histoire.

Je n'invente pas pour les autres, ils ne m'intéressent pas. Je ne suis pas du genre à raconter ma vie dans les bars. Je ne connais pas ces gens de l'Arkansas, ces Farrell. Des fermiers. Chez eux Mary a appris à soigner les bestiaux, à réparer une moto, à conduire les tracteurs. Et un jour, à dix-huit ans, elle s'est envolée pour aller vivre ailleurs, pour chanter. C'était sa vocation. Elle a eu une autre vie, elle n'est jamais retournée dans la ferme. Quand elle a disparu en mer, j'ai essayé de retrouver les parents, j'ai écrit des lettres au comté, pour connaître leur adresse. Rien ne m'est revenu.

Quand j'ai connu Mary, elle avait près de quarante ans, mais elle semblait beaucoup plus jeune. Moi j'avais vingt-huit ans. Je sortais de prison.

La tempête me prête sa rage. J'ai besoin de ses cris d'orfraie, de ses soufflets de forge. C'est pour la tempête que je suis revenu dans cette île. Alors, tout se referme, les humains disparaissent dans leurs maisons, ils ferment les volets et ils barricadent les portes, ils se recroquevillent dans leurs coquilles, dans leurs carapaces. Ils ont disparu aussi, les touristes au visage enfariné, leurs poses, leurs mimiques, leurs minauderies. Les filles en minishort sur leurs vélos, les garçons en quad, leurs lunettes Polaroid, leurs sac à dos, leurs appareils photo, ils sont retournés en ville, dans leurs *condominiums*, dans leurs pays où il n'y a jamais de tempête.

Les gens de l'île se sont enterrés. Ils jouent aux cartes, ils boivent des bières assis par terre dans les abris aux vitres embuées. La lumière électrique vacille, bientôt ce sera la grande panne. Les congélateurs des magasins vont laisser suinter une eau jaune comme de la pisse, les poissons salés vont fondre et perdre leurs yeux, les barres de chocolat glacé vont se ramollir dans leurs emballages. C'est pour la tempête que je suis revenu. Je me sens à nouveau à la guerre, au hasard, suivant la débandade des troupes, écoutant les haut-parleurs gueuler des ordres incompréhensibles. Je remonte le temps, je reconstruis ma vie. Je voudrais revenir au pas de la porte de la maison de Hué, regarder, et mon regard arrêterait le temps, jetterait la confusion, libérerait la femme de ses bourreaux. Mais rien de ce que je sais ne s'effacera. L'île est la certitude de l'irrédemption. La preuve de l'incapacité. L'île est le dernier ponton, la dernière escale avant rien. C'est pour cela que je reviens. Non pas pour retrouver le passé, non pas pour flairer une piste comme un chien. Mais pour être sûr que je ne reconnaîtrai rien. Pour que la tempête efface tout, définitivement, puisque la mer est la seule vérité.

Mon nom est June. Ma mère est une femme de la mer. Je n'ai pas de père. Ma mère s'appelle Julia, elle a un autre nom, qui n'est pas chrétien, mais elle ne veut pas que je le dise. Quand je suis née, mon père avait déjà laissé tomber ma mère. Ma mère a cherché un prénom pour moi, son grand-père s'appelait Jun, un nom de la Chine, parce qu'il était de là-bas, elle m'a nommée June, parce que ça veut dire juin en américain, et que j'ai été conçue pendant ce mois. Je suis grande, et j'ai la peau foncée, la famille de ma mère m'a maudite, parce que je n'avais pas de père. Alors ma mère m'a emmenée avec elle, et nous sommes venues vivre dans cette île. J'avais quatre ans quand je suis arrivée, et je ne me souviens pas d'avant, ni du voyage, sauf que ma mère a pris un bateau, et qu'il pleuvait, et je portais un sac à dos très lourd dans lequel elle avait caché tous les bijoux et les objets de valeur, pour ne pas les perdre, parce qu'elle pensait qu'on ne volerait pas le sac à dos d'une petite fille de quatre ans. Ensuite elle a vendu la plupart des bijoux, mais il reste encore une paire de boucles d'oreilles en or et un collier, en or également, ou bien c'est juste du métal doré. Je me souviens qu'il pleuvait sur la mer. Peut-être que je pleurais. Ou c'est la pluie qui mouillait mon visage et qui collait mes cheveux sur ma bouche. Pendant longtemps je croyais que lorsqu'il pleuvait, c'était le ciel qui pleurait. Maintenant je ne pleure plus jamais.

Ma mère n'est pas vraiment une femme de la mer, je veux dire comme ces femmes d'ici qui font ce métier depuis qu'elles sont toutes petites, et qui ressemblent à de grosses baleines noires, surtout quand elles sortent de l'eau et qu'elles titubent sur leurs vieilles jambes maigres. Ma mère est encore jeune, elle est très belle et mince, elle a de beaux cheveux lisses et un visage presque sans rides, mais à force de pêcher, ses mains sont devenues rouges et les ongles sont cassés. Ma mère n'est pas d'ici. Elle est de la capitale, elle était étudiante quand elle est tombée enceinte de moi. Quand mon père l'a laissée tomber, pour repartir à l'autre bout du monde, parce qu'il ne voulait pas d'enfant, ma mère a décidé de se cacher pour ma naissance, et pour échapper à la honte de sa famille, elle est allée vivre loin, à la campagne. Pour vivre, elle a fait toutes sortes de métiers, elle a vécu dans une ferme de canards, elle a travaillé dans un restaurant, lavé la vaisselle et nettoyé les latrines. Elle est allée de ville en ville, avec moi bébé, jusque dans le sud, et un jour elle a entendu parler de cette île, elle a pris le bateau et elle est arrivée jusqu'ici. Elle a d'abord travaillé dans les restaurants, puis elle a acheté un masque et une combinaison de plongée, et elle a commencé à pêcher les ormeaux.

La plupart des femmes de la mer sont vieilles. Quand je leur parle, je dis : « Grand-mère ». Ma mère était jeune quand elle est arrivée ici. Les femmes lui ont d'abord dit : « Qu'est-ce que tu viens faire ? Retourne à ta ville. » Mais elle a tenu bon, et elles ont fini par l'accepter. Elles lui ont montré comment il faut faire, pour plonger, pour retenir son souffle, pour repérer les endroits où vivent les coquillages. Mais ce qui était bien, c'est qu'elles ont accepté ma mère, sans lui poser de questions à propos de son mari, ou de moi. Elles sont ma famille, la famille que je n'ai jamais eue. Dès que j'ai eu l'âge d'aller me promener seule, c'est elles que j'allais voir. Je leur apportais un peu de soupe chaude, quand elles sortaient de l'eau, ou bien des fruits. Moi j'habite avec maman dans une maison dans les hauts, nous louons la maison à une vieille qui a été plongeuse autrefois. Une vieille toute noire et cabossée, je l'appelle grand-tante, elle a cessé de plonger quand elle a eu un accident parce qu'elle était restée trop longtemps sous l'eau, et depuis elle est un peu lente. Elle passe ses journées dans son champ de patates douces, à racler la terre et à arracher les mauvaises herbes, et je vais l'aider quand je sors de l'école. Elle a un chien qui s'appelle Chubb, parce qu'il est gros et court sur pattes, mais assez intelligent. L'an dernier, un type est venu habiter chez maman. Il se fait appeler Brown, comme s'il était anglais, mais moi je ne l'aime pas. Quand il est avec ma mère, il parle doux et sucré, mais quand je suis seule avec lui, il est méchant, il parle mal, il me commande, il a un drôle d'accent. Un jour il m'a tellement énervée, je lui ai dit en imitant son accent : « Alors tu ne me parles pas comme ça, je ne suis pas ta fille. » Il m'a regardée comme s'il voulait me battre, mais depuis il se méfie. Je n'aime pas beaucoup sa façon de me regarder, j'ai l'impression qu'il cherche à voir à travers mes habits. Quand il est avec maman, il fait son amoureux, et je le déteste encore plus.

À l'école je n'ai pas d'amis. Au début, ça allait bien, mais depuis cette année, tout a changé. Il y a un groupe de filles qui s'amusent à me provoquer. Je me suis battue avec elles plusieurs fois, je suis la plus grande et c'est moi qui gagne, mais parfois elles se mettent à plusieurs pour me taper, quand je marche sur la route pour aller à la maison, elles me jettent des mottes de terre ou des petits cailloux, elles font semblant d'aboyer. Elles disent que je n'ai pas de papa, que mon père est un mendiant, qu'il est en prison, et c'est pour ça

qu'il ne vient jamais me voir. J'ai dit une fois :
« Mon père, il n'est pas en prison, il est mort à la
guerre. » Elles ont ricané. « Prouve-le », c'est ce
qu'elles ont répondu, et moi je ne peux pas le
prouver. J'ai demandé à ma mère : « Mon père, il
est vivant ou il est mort ? » Mais elle n'a pas
répondu, elle a baissé la tête, et elle a fait comme
si elle n'entendait pas. En y réfléchissant, je crois
qu'elles ont raison, puisque ma mère m'a appris
à parler anglais, depuis que je suis petite, elle dit
que c'est pour mon avenir, mais c'est peut-être
pour que je connaisse aussi la langue de mon
père.

De tous les enfants de l'école, le plus méchant,
c'est un garçon, il s'appelle Jo. Il est grand et
maigre, il est dans une classe au-dessus de la
mienne. Il est vicieux. Il dit que je suis noire. Il dit
que mon père est un soldat noir américain de la
base militaire, et que ma mère est une pute. Il
répète ça tout le temps, quand je suis seule sur
la route et que les adultes ne peuvent pas l'entendre. Il court après moi, et quand il passe, il dit
à voix basse : « Ta mère est une pute, ton père est
noir. » Il sait que je ne le répéterai à personne,
j'aurais trop honte. Jo a des yeux fourbes comme
un chien de merde, il a un long nez busqué et des
yeux jaunes avec des points noirs au milieu. Il
vient par-derrière quand je marche seule sur la
route, il m'attrape par les cheveux, parce que j'ai
beaucoup de cheveux frisés, et ses doigts s'ac-

crochent dedans et tirent jusqu'à ce que je baisse
la tête par terre, et j'ai les yeux pleins de larmes
mais je ne veux pas lui donner ce plaisir. Il voudrait que je crie : « Appelle ta maman, appelle-
la ! » Mais je ne dis rien, je lui donne des coups de
pied et à la fin il lâche mes cheveux.

La mer, c'est elle que j'aime plus que tout au
monde. Depuis que je suis toute petite, j'ai passé
la plus grande partie de mon temps avec la mer.
Quand nous sommes arrivées dans cette île, ma
mère a d'abord travaillé dans les restaurants de
coquillages. Elle y allait tôt le matin, et elle m'installait dans ma poussette, dans un coin, pour que
je ne dérange personne. Elle nettoyait le ciment
à la brosse, elle lavait les bacs et les marmites, elle
balayait la cour et elle brûlait les ordures, ensuite
elle travaillait à la cuisine, à hacher les oignons, à
laver les coquillages, puis à préparer les légumes
de la soupe et couper les poissons pour les sushis.
Moi je restais dans ma poussette sans rien dire, à
la regarder. Il paraît que j'étais très sage. Je ne
voulais pas aller jouer dehors. La propriétaire
disait : « Qu'est-ce qu'elle a, cette petite ? On
dirait qu'elle a peur de tout. » Mais moi je n'avais
pas peur de tout, je restais pour protéger ma
mère, pour être sûre qu'il ne lui arrive rien. Puis
un jour maman en a eu assez d'être la domes-
tique de ces gens. Elle s'est mise d'accord avec les

vieilles qui apportaient les coquillages, et elle est
devenue elle aussi une femme de la mer.

À partir de ce moment-là, je suis allée tous les
jours au rivage. Je marchais avec ma mère, je
portais son sac, ses chaussures, son masque. Elle
s'habillait dans les rochers à l'abri du vent. Je la
regardais quand elle était nue, avant d'enfiler sa
combinaison de plongée. Ma mère n'est pas
grande et grosse comme moi, elle est plutôt petite et maigre, elle a la peau très claire, sauf son
visage qui est brûlé par le soleil. Je me souviens
que je regardais ses côtes qui sortaient sous sa
peau, et ses seins, avec des bouts très noirs parce
qu'elle m'a donné à téter très longtemps, jusqu'à ce que j'aie cinq ans ou six ans. La peau de
son ventre et de son dos est bien blanche, et la
mienne est presque noire, même si je ne vais pas
au soleil, et c'est pourquoi à l'école les enfants
disent que je suis noire. Un jour j'ai dit à ma
mère : « C'est vrai que mon père était un soldat
américain et qu'il nous a abandonnées ? » Ma
mère m'a regardée comme si elle voulait me gi-
fler, et elle a dit : « Ne répète plus jamais ce que
tu viens de dire. Tu n'as pas le droit de me dire
des choses méchantes. » Elle a dit aussi : « Si tu
répètes les choses méchantes qu'on t'a dites, tu
craches sur toi-même. » Alors je ne lui en ai plus
jamais parlé. Mais n'empêche que j'aimerais
bien connaître la vérité au sujet de mon père.

Quand j'étais petite, je n'allais pas à l'école.

Ma mère avait peur de ce qui pourrait m'arriver,
et je crois bien qu'elle avait honte aussi parce
que je n'avais pas de père. Je restais dans les rochers. Je gardais les habits de ma mère pendant
qu'elle pêchait. J'aimais bien ça. J'avais une espèce de nid fait avec des lainages, j'étais calée
contre les pierres noires, et je regardais la mer. Il
y avait aussi de drôles d'animaux, des sortes de
scarabées-crabes qui sortaient timidement entre
les fissures pour venir me voir. Ils restaient au
soleil sans bouger, et au moindre geste, ils fi-
laient vers leurs cachettes. Il y avait aussi des oiseaux, des mouettes, des cormorans, et des
oiseaux gris et bleu qui restaient perchés sur une
seule patte. Ma mère enfilait sa combinaison de
caoutchouc, elle ajustait sa cagoule, ses gants,
ses chaussures, puis elle entrait dans l'eau, et là,
elle mettait son masque. Je la regardais nager
vers le large en tirant derrière elle sa bouée noir
et blanc. Chaque femme de la mer a une couleur
de bouée différente. Quand elle était assez loin
au milieu des vagues, elle plongeait et je voyais
ses chaussures bleues s'agiter dans l'air, puis ses
jambes glissaient vers le fond et elle disparaissait
complètement. J'avais appris à compter les secondes. Maman m'avait dit : « Compte jusqu'à
cent, si je ne suis pas remontée tu dois aller chercher du secours. » Mais elle ne reste jamais jusqu'à cent. Tout au plus trente ou quarante
secondes et elle remonte. Et là, elle crie. Les

femmes de la mer crient toutes. Chacune a son cri. C'est pour reprendre sa respiration, et le cri de ma mère, je peux le reconnaître de loin, même si je ne la vois pas. Même parmi d'autres cris, d'autres bruits. C'est comme un cri d'oiseau, très aigu, qui finit tout bas, en faisant *rira ! houhou-rrraourrra !* J'ai demandé à maman pourquoi elle avait choisi ce cri. Elle a ri, elle m'a répondu qu'elle ne savait pas, que c'était venu naturellement, la première fois qu'elle était sortie de l'eau. Pour rire elle m'a dit que j'avais crié comme ça, moi aussi, quand j'étais née ! Ma mère ne plonge pas tous les jours au même endroit. Cela dépend du vent, des vagues, et aussi de ce que décident les femmes de la mer. Elles choisissent chaque matin l'endroit où elles vont plonger, parce qu'elles savent qu'elles trouveront de nouveaux coquillages. On pourrait croire que les coquillages restent collés au fond de l'eau sans bouger, mais en réalité ils marchent beaucoup. Chaque nuit ils changent d'endroit, parce qu'ils cherchent de quoi manger, ou parce qu'ils sont attaqués par les étoiles de mer. Les étoiles de mer sont les ennemies des coquillages. Maman en ramène quelquefois dans son sac, et elle les laisse mourir au soleil, et moi je garde les plus belles pour les vendre dans les baraques de souvenirs près du môle, et aussi des branches de corail rose.

Quand j'ai commencé l'école, j'ai cessé d'aller avec ma mère au rivage, et ça m'a rendue très triste. Au début, j'ai dit à ma mère que je ne voulais pas de l'école, je voulais devenir une femme de la mer comme elle, mais elle m'a dit que je devais étudier et devenir quelqu'un, pas une pêcheuse de coquillages, parce que c'était un métier trop dur. Mais en été, pendant les vacances scolaires, elle m'emmène avec elle. Je mets plusieurs T-shirts l'un par-dessus l'autre, et je garde mon vieux jean troué, et j'enfile des chaussures en plastique, je mets un masque et je nage avec elle, vers le large, pour regarder le fond de l'eau. Au début, je tenais la main de maman, j'avais un peu peur. Je regardais les bancs de poissons, les algues, les étoiles de mer et les oursins dont les aiguilles noires bougent comme s'ils dansaient. Sous l'eau, j'entends des bruits étranges, des bulles, des crissements dans le sable. Quelquefois un grondement lointain quand un des ferries traverse le détroit. Maman m'a montré les cachettes des ormeaux sous les algues, comment on les décolle avec un couteau. J'ai un sac comme elle, en filet, et j'y mets ma récolte. Je n'ai pas de combinaison de caoutchouc, j'ai froid assez vite, alors maman regarde mes mains, et quand elle voit que la peau devient blanche elle me ramène jusqu'à la côte. Je m'enveloppe dans une serviette et je regarde ma mère qui retourne au large.

Quand je suis à l'école, je ne sais plus où ma

mère va plonger. Dès que je suis sortie de classe, je cours vers le rivage, je marche sur la route côtière, et j'essaie d'apercevoir ma mère parmi les femmes de la mer. J'écoute les cris et quand j'entends son *houhou-rrraourrra !* je sais qu'elle est là. Mais il arrive que je ne la retrouve pas. Je reste à regarder la mer, le cœur serré, j'observe les vagues. Les cormorans sont perchés sur le récif leurs ailes entrouvertes pour se sécher au vent, on dirait de vieux pêcheurs grognons. Quand je reviens à la maison, ma mère est déjà là, elle n'est pas allée à la pêche parce que la mer était mauvaise, ou parce qu'elle se sentait fatiguée, et je suis tellement soulagée de la voir que ça me donne envie de rire. Mais évidemment je ne lui dis rien, parce que c'est pour moi qu'elle mène cette vie difficile, pour payer mon école et ma nourriture.

Quelquefois, maman me parle de son dauphin. Elle l'a rencontré au début, quand elle a commencé la pêche, et de temps en temps il vient lui rendre visite près du rivage. Elle en parle avec enthousiasme, elle rit d'un rire enfantin. Maman a de jolies dents très blanches, quand elle rit, ça lui donne un air très jeune. Moi j'ai des dents trop grandes et de travers comme des dominos prêts à tomber ! Maman est très belle. Pour plonger, elle a coupé ses cheveux court, ça lui fait un casque de cheveux noirs un peu hérissés à cause de la mer. J'adore lui laver les cheveux. Moi j'ai

des cheveux longs et frisés, ça doit être à cause de
mon père, s'il est africain, comme dit Jo, ou bien
à cause de mon grand-père chinois. Il semble que
les Chinois aient souvent les cheveux frisés, je ne
sais plus où j'ai lu ça. Ma mère dit qu'elle aime
beaucoup mes cheveux, elle ne veut pas que je les
coupe. Régulièrement c'est elle qui les lave,
ensuite elle les frictionne au lait de coco pour
qu'ils éclaircissent.

J'ai pris l'habitude d'aller seule au bord de la
mer. Après l'école, au lieu de rentrer faire mes
devoirs, je marche jusqu'au rivage. Je vais à la
grande plage, parce qu'elle est déserte en hiver.
J'adore l'hiver. J'ai l'impression que tout se
repose, la mer, les rochers, même les oiseaux. En
hiver, maman ne part pas très tôt à cause de l'obscurité qui traîne encore au fond de l'eau. Le jour
ne se lève pas en même temps à la surface et au
fond de la mer. Je vais rejoindre maman dans les
rochers. La mer est grise, les vagues sont lissées
par le vent, elles tremblent à peine, on dirait la
peau d'un cheval. La plupart des femmes de la
mer ne sortent pas ces jours-là. Maman n'hésite
pas, elle sait qu'elle aura une récolte double. Elle
peut gagner soixante ou soixante-dix dollars ces
jours-là. Elle me demande de l'aider à porter
les coquillages jusqu'aux restaurants, surtout
quand il y a beaucoup d'ormeaux, parce qu'ils
pèsent lourd. Elle ne plonge pas très loin, près du

port, à l'abri de la digue, ou dans les rochers au
bout de la plage. Je m'abrite dans la cabane des
femmes de la mer, et je regarde ma mère qui
entre dans l'eau, ses jambes bien droites en l'air
avant de plonger, ses belles chaussures bleues qui
brillent, puis l'eau se referme sur elle, et je
compte, comme quand j'étais petite, très lentement, dix, onze, douze, treize, quatorze, et elle
reparaît, la tête renversée, elle crie : *houhou-
rraourrra*, et moi je lui réponds. J'ai vu un film à
la télé sur les baleines, je lui ai dit : « Vous autres,
les femmes de la mer, vous criez comme des
baleines ! » Ça l'a fait rire, elle me parle encore
de son dauphin, celui qui vient de temps en
temps la voir, au crépuscule. Elle n'est pas la
seule. La vieille Kando, une copine de ma mère,
qui paraît-il est la fille bâtarde d'un soldat japonais, m'a raconté qu'elle aussi a rendez-vous avec
un dauphin, et qu'elle sait lui parler. Elle m'a
raconté que quelquefois, tôt le matin, ou bien
juste avant la nuit, le dauphin s'approche d'elle,
et elle lui parle en poussant de petits cris sous
l'eau, la bouche fermée, ou bien elle frappe dans
ses mains, et le dauphin vient tout près d'elle, si
près qu'elle peut caresser sa peau qui est très lisse
et très douce, c'est ce qu'elle raconte. Alors moi
aussi, vers le soir, quand la mer est très calme, je
vais à l'eau, je nage avec mon masque et j'espère
rencontrer le dauphin, mais jusqu'à présent il
n'est pas venu. Il n'y a que maman et la vieille

Kando qui l'ont rencontré. Mais c'est surtout
avec Kando qu'il est familier, il n'a pas peur d'elle
parce qu'elle est vieille. J'ai demandé à Kando de
quelle couleur sont ses yeux. Elle a réfléchi : « Eh
bien, c'est une drôle de question », a-t-elle dit.
Elle dit qu'elle ne sait pas, peut-être que ses yeux
sont bleus, ou bien gris. Maman ne l'a jamais vu
de près, c'est juste une ombre qui glisse parfois
près d'elle, mais elle a entendu son langage, ses
petits cris joyeux quand il nage à côté d'elle. Est-
ce que ça n'est pas merveilleux ? C'est pourquoi
je serai femme de la mer, moi aussi.

La mer est pleine de mystères, mais cela ne me
fait pas peur. De temps à autre, la mer avale quelqu'un, une femme de la mer, ou un pêcheur
d'hourites, ou bien un touriste imprudent que la
vague a aspiré sur un rocher plat. La plupart du
temps, elle ne rend pas les corps. Le soir, quand
les femmes de la mer se réunissent devant la
cabane de parpaings, pour se déshabiller et se
laver au jet, je m'assois avec elles et je les écoute
parler. Elles parlent dans le dialecte de l'île, j'ai
du mal à tout comprendre. Elles ont un drôle
d'accent chantant, on dirait qu'elles n'arrivent
pas à oublier leurs appels quand elles sortent de
la mer. Elles parlent la langue de la mer, une
langue qui n'est pas tout à fait comme la nôtre,
dans laquelle se mélangent les bruits qu'on
entend sous l'eau, les murmures des bulles, le

crissement du sable, les explosions sourdes des vagues sur les récifs. Elles m'aiment bien, je crois. Elles m'appellent par mon nom, June, elles savent que je ne suis pas d'ici, que je suis née à la ville. Mais elles ne me posent jamais de questions, ni sur mon père ni sur ma mère, elles sont discrètes, même si je suis sûre qu'elles ragotent quand j'ai le dos tourné, mais ça n'est pas grave, tous les humains font ça. Elles sont vieilles, leurs enfants sont loin, ils travaillent pour des compagnies, ils voyagent. Elles m'aiment bien parce que je dois leur rappeler leurs filles, une fille qui a grandi et qu'elles ne voient plus qu'une ou deux fois par an, pour une fête ou un anniversaire. Elles m'appellent « ma fille », ou bien « la petite », même si je suis plus grande qu'elles.

Maman n'aime pas beaucoup que je passe mon temps avec les femmes de la mer. Elle m'a défendu d'aller nager avec elles. Elle a peur que je ne fasse comme elles, que je devienne plongeuse moi aussi. Elle dit que je dois bien travailler à l'école, pour aller ensuite à l'université, pour réussir ce qu'elle n'a pas pu faire à cause de moi. Que je devienne médecin, ou avocate, ou professeur de lycée, un vrai métier. Ou même à la rigueur employée de bureau. Mais moi je n'ai pas envie de faire un de ces métiers où on va tous les jours au même endroit, et recevoir les ordres d'une chef irascible et méchante, et rentrer tous les soirs dans mon appartement pour dormir. Ce que j'aime, c'est ce que m'enseigne la mer, ce que m'enseignent les vieilles femmes, quand elles sortent de l'eau et qu'elles allument un feu de planches à l'abri de la cabane, et qu'elles étalent sur la pierre noire au soleil couchant les trésors du fond de la mer, les ormeaux nacrés, les coquilles pointues et noires, les étoiles de mer, les pieuvres. Je pense qu'il existe un monde sous la mer, un monde très beau, différent de tout ce qu'on voit sur la terre. Un monde qui n'est pas dur et sec, qui n'écorche pas la peau ou les yeux, un monde où tout glisse lentement, doucement. Il y a les légendes de la mer, par exemple l'histoire de la vieille femme qui a échappé au tigre grâce au dragon de la mer, ou les histoires de monstres qui avalent les marins, tout ce qu'on raconte aux enfants. Mais ce ne sont pas ces histoires que je veux entendre. C'est plutôt dans le genre d'une porte qui s'ouvre sur un autre monde, un pays où tout est bleu, à la fois lumineux et sombre, à la fois glissant et puissant, un monde qui scintille. Un monde froid, où vivent les bancs de poissons transparents, un monde où tous les bruits sont différents, non pas les bruits des gens qui parlent, rien de sournois ou de méchant, juste cette rumeur qui vous entoure, vous entraîne, et quand elle vous prend vous n'avez plus envie de revenir sur terre.

C'est cela qu'elles me montrent, quand elles sortent de l'eau, les vieilles femmes de la mer. Elles titubent sur les rochers, les bras un peu écartés, leurs corps luisants noirs gonflés au ventre et à la poitrine, elles n'ont plus la légèreté de l'eau, la jeunesse de l'eau, le vent les pousse, le ciel leur pèse, le soleil fait larmoyer leurs yeux. Elles s'essuient, elles se mouchent entre leurs doigts, elles crachent dans les flaques. Elles renversent sur une roche plate leur récolte de tourillons et d'ormeaux, les oursins, leurs mains ont les ongles cassés et noirs, la peau de leur cou est ridée comme celle des tortues. Elles ne parlent pas. Elles ôtent leurs combinaisons de caoutchouc, je les aide en tirant sur les manches, sans rire. Leur peau sent la mer, leurs cheveux gris sont frisés par l'humidité. Une fois j'ai dit : «Eh bien, on dirait que moi je suis née sous la mer, mes cheveux sont frisés naturellement.» Puis elles rassemblent leurs affaires dans leurs poussettes, je crois que ce sont les mêmes poussettes dans lesquelles elles ont promené leurs filles quand elles étaient jeunes mamans. Elles s'en vont à la queue leu leu sur la route côtière, sans faire attention aux voitures des touristes, aux curieux qui s'arrêtent pour les prendre en photo. Elles retournent chez elles. Sur la terre, elles sont lourdes, maladroites, on dirait de vieilles mouettes engluées, mais moi je les trouve belles. J'aime surtout la vieille Kando. Quand je rentre à la maison, maman me regarde sévèrement. Brown a essayé une fois de me faire la morale, mais je l'ai regardé froidement, et depuis que je me suis moquée de lui il se méfie. Il a intérêt à la fermer.

J'oublie de parler de Monsieur Kyo. C'est comme cela que je l'appelle, mais son vrai nom c'est Philip. C'est un étranger. Je l'ai rencontré la première fois sur le port, il était sur la digue en train de pêcher. Il a tout un attirail pour ça. Un matériel d'expert. Une canne en fibre de verre, des moulinets perfectionnés. Une boîte en plastique rouge avec toutes sortes d'hameçons, du fil, des bouchons, des plombs, et avec ça un petit couteau en inox avec plusieurs lames et des ciseaux pliants, un coupe-ongles. Il a une boîte en métal pleine d'asticots et de crevettes pour appât. J'étais venue ce soir-là sur la digue pour voir le départ du ferry, et il était là tout seul. Moi j'aime bien les étrangers, je suis allée lui parler. C'est une chose que je ne fais pas d'habitude, et pourtant ce soir-là j'ai eu envie de parler à cet inconnu. Il avait cette drôle d'allure, un peu engoncé et maladroit dans ses habits de la ville, et tout son attirail de pêcheur. C'était assez bizarre, et pour tout dire, vraiment nouveau.

« Vous êtes super équipé, vous vous y connaissez en pêche ! » Il m'a regardée comme s'il cherchait à comprendre si je me foutais de lui. Il n'a même pas eu l'air étonné que je parle bien sa langue.

« Ah oui, a-t-il dit enfin. Mais l'équipement ne fait rien à l'affaire. » Il a avoué, avec un petit sourire, et ça m'a bien plu parce que c'était la première fois qu'un homme disait cela sans honte : « Je n'y connais rien, c'est la première fois que je pêche. »

Il a un visage sombre, la peau un peu grise, des cheveux frisés, assez longs, pour ce que je peux voir parce qu'il est coiffé d'une casquette de base-ball sur laquelle est marqué 1986. Il est costaud, avec des épaules larges et de grandes mains. Il est évident qu'il n'est pas habillé pour la pêche, avec son complet-veston et ses souliers noirs vernis. Il n'a pas l'air non plus d'un touriste.

« Vous êtes venu ici pour apprendre à pêcher, c'est ça ? » Il me regarde sans sourire. J'imagine que ça doit lui paraître bizarre, cette gamine de treize ans qui lui pose des questions. Il lance la ligne qui siffle avant que les plombs ne touchent l'eau, à une dizaine de mètres de la digue. Il dit : « Et c'est vous qui allez m'apprendre à pêcher ? » Il est sûrement ironique, mais je ne me laisse pas décourager. Je lui réponds : « Eh bien, je pourrais. Je m'y connais bien. Je pêche depuis que je suis toute petite. » J'ajoute, pour avoir l'air intelligente : « Vous savez, ici, il n'y a rien d'autre à faire. » Il mouline sans répondre, je dis : « Il faut connaître les endroits. Par exemple, ici, vous n'attraperez rien. Il n'y a pas assez de fond, votre hameçon va se prendre dans les algues. » À cet instant précis, comme un fait exprès, sa ligne s'accroche dans le fond. « Voyez ? je lui dis. Vous vous êtes pris dans le fond. » Il jure et tire de toutes ses forces sur la canne, qui est prête à se casser. « Attendez, je vais le faire. » Je prends la canne et je la balance de chaque côté, plutôt doucement, je me mets à quatre pattes sur le quai et je tire à petits coups, comme sur un animal en laisse. Au bout d'un instant, la ligne se décroche, et il rembobine. L'hameçon sort de l'eau avec une touffe d'algues. L'homme sourit enfin. Il a l'air satisfait. « C'est vrai, vous n'avez pas menti. » Il est devenu amical. « Vous vous y connaissez, vous pouvez me donner des leçons, si vous avez le temps. » Je lui dis : « J'ai tout le temps quand je ne suis pas à l'école. » Là, il m'a donné son nom, Kyo Philip. J'aime bien ce nom. J'ai pensé tout de suite qu'on pourrait être amis, avec ce nom-là. Je suis restée un bon moment à lui expliquer la pêche, je lui ai montré le coin de l'autre côté de la digue, où la marée ne risque pas de pousser sur la ligne. La nuit venait, et je suis retournée à la maison. Avant de partir, j'ai dit à Monsieur Kyo : « Demain, c'est dimanche. Si vous y tenez, je pourrais vous montrer où il faut pêcher. Les bons coins, si vous voyez ce que je veux dire. » Il m'a regardée avec toujours son petit sourire. « OK, demain matin ? » J'ai dit : « Demain après-midi, parce que le matin je vais à l'église avec ma mère. » Il a remballé sa canne et ses appâts.

« Vous ne savez pas où j'habite ? » Je lui ai fait un signe entendu : « Tout le monde sait où vous habitez, Monsieur. Ici tout le monde sait tout sur tout le monde, c'est une petite île. » J'ai ajouté, parce que je n'étais pas sûre qu'il eût compris : « Vous n'avez qu'à sortir de chez vous, et c'est moi qui vous retrouverai. » Et c'est ainsi que nous sommes devenus des amis, Monsieur Philip Kyo et moi-même.

À la fin de l'été, les forces se rassemblent. Je hais l'été, c'est la saison de l'oubli, ou du moins la saison où l'on fait semblant d'oublier. Chaque jour, la marée humaine remplit tous les coins, une eau trouble et clapotante qui s'infiltre dans les espaces vides, se ramifie, se décuple. Un moment, à six heures du matin, déjà grand jour, tout est désert, en suspens. Seules les pêcheuses d'ormeaux flottent au large. Quelques oiseaux. L'instant d'après, c'est l'invasion. Une éclosion d'insectes noirs. Ils courent dans tous les sens, leurs antennes aux aguets, leurs élytres écartés, ils nagent, ils roulent, parfois même ils volent, j'en ai vu : un homme attaché par des sangles qu'un bateau avait halé jusqu'à la plage, et le vent gonflait ses membranes flasques, l'entraînait à quatre pattes comme un monstrueux crabe multicolore. Je l'ai arrêté dans sa course. Il a tourné son visage rouge vers moi. Il s'est épousseté, et il m'a dit : « *Spassiba !* » Quel mauvais vent l'a amené jusqu'ici ?

Le bruit et la chaleur me font fuir l'étroite chambre de l'hôtel près du port. Le taulier m'a loué une tente — un témoin des surplus d'après-guerre, me semble-t-il — et je suis allé m'installer de l'autre côté de l'île, là où il n'y a pas de plage, une côte de rochers noirs hérissés de griffes. J'y suis envahi par les cafards de mer, mais je les préfère aux insectes humains. Mary disait que j'étais un éternel célibataire maniaque. Elle se moquait de moi : « Sissy, poussy. » Elle ne savait rien de ma vie. Elle ne parlait pas souvent d'elle-même. Une nuit, parce qu'elle chantait à tue-tête en marchant au bord de la mer, je lui ai dit que n'importe où ailleurs elle passerait pour une folle. Elle a cessé de chanter, elle a parlé avec amertume de la maison où on l'avait enfermée sur la recommandation d'un médecin ami de sa famille. Elle appelait ça : la Maison blanche. Parce que tout était blanc, les murs, les plafonds, les blouses des infirmiers et des toubibs, et même le teint des patients.

J'ai senti que je lui devais quelque chose. J'ai dit, sur un ton détaché : « Moi aussi, j'ai été enfermé. » Elle a dit : « Dans une Maison blanche, vous aussi ? » J'ai répondu : « Non, en prison. » N'importe qui aurait demandé : « Pourquoi on vous a mis en prison, qu'est-ce que vous aviez fait ? » Mary n'a pas posé de questions. Elle est restée silencieuse, et je n'ai pas continué. Je ne suis pas doué pour la confession.

Quand je ne vais pas à la pêche, je marche à travers l'île. À l'intérieur des terres, les touristes sont moins nombreux. Ils s'intéressent aux plages et aux fameux points de vue et pas du tout aux champs de patates et d'oignons. L'été, les sentiers sont brûlants. La terre sent une odeur acide, lourde. Derrière les haies s'abritent des vaches impassibles. Le soleil écorche les yeux. Je me souviens, avec Mary, nous dormions le jour et nous vivions la nuit. La maison que nous louions existe toujours, une cabane en parpaings et en planches avec un toit de tôle ondulée. Elle a été rachetée par un étranger, un architecte japonais à ce qu'on m'a dit. Il a de grands projets pour l'île, un hôtel quatre étoiles avec piste d'atterrissage pour les hélicos et spa d'eau de mer. Son idole, c'est l'architecte Tadao Andō, c'est tout dire. Grand bien lui fasse ! Mary et moi nous sortions au crépuscule, comme des vampires, quand le soleil se diluait dans la brume. Nous nagions dans le noir, en frissonnant quand les algues touchaient notre ventre. Une fois, dans la demi-lune, nous avons fait l'amour sur la plage, dans l'eau, en roulant à la manière des vaches marines. Cela s'est passé il y a très longtemps. Je croyais avoir oublié, mais quand je suis revenu ici, chaque seconde a recommencé.

Quand je suis arrivé dans l'île, après toutes ces années, je pensais que je ne resterais pas plus de deux ou trois jours. J'ai pris une chambre dans un petit hôtel du port, près du terminal des ferries, au-dessus des magasins qui louent les scooters et les vélos aux touristes. Le temps de vérifier qu'il n'y avait plus rien, que le passé était effacé, que je ne ressentais plus rien, le temps d'un ricanement ou d'un haussement d'épaules. Le premier jour je n'ai rien fait d'autre que d'observer le va-et-vient des bateaux, la foule qui descendait la coupée par la porte de débarquement, les autos et les vélos. La plupart des visiteurs étaient très jeunes, des couples d'amoureux, des groupes d'enfants. Je les ai regardés jusqu'à en avoir la nausée, un mal de tête lancinant. Que venaient-ils faire là ? De quel droit ? Qu'est-ce qu'ils espéraient ? Des prédateurs douceâtres, avec leurs anoraks de couleur vive, leurs baskets, leurs casquettes de base-ball, leurs lunettes de soleil. Connaissaient-ils quelque chose au danger qui rôde ici, aux esprits de la nuit, aux forces qui guettent du fond de la mer, tapies dans leurs crevasses ? Avaient-ils jamais vu de noyé ? Je les haïssais sérieusement. Je comptais leurs allées et venues, des centaines, des milliers. Tous identiques.

À la nuit, j'ai marché sur les routes, le long de la mer, de long en large. Les touristes avaient fui. Pourtant il me semblait que certains étaient restés, cachés derrière les broussailles, pour m'espionner. Il faisait froid, le vent soufflait avec la marée montante. Il n'y avait pas de lune, le ciel était pris par la vapeur, la mer était une masse obscure. Je marchais en titubant, les bras un peu écartés pour garder mon équilibre. Des chiens enchaînés aboyaient à mon passage. Dans une grange éteinte, une vache meuglait. Et d'un seul coup la mémoire m'est revenue. J'étais là, sur cette route, seul et aveugle, et j'étais à nouveau trente ans en arrière, avec Mary. Je marchais près d'elle, et brusquement je l'ai embrassée dans le cou, à la naissance des cheveux. Elle s'est écartée, un peu surprise je crois, et je l'ai retenue, et nous avons marché enlacés jusqu'à la plage, nous nous sommes assis dans le sable coriace. Nous avons écouté le bruit de la mer. C'était la première fois que nous nous embrassions.

Nous avons parlé une bonne partie de la nuit, avant de retourner à notre cabane. Cette nuit est restée en moi, et maintenant elle renaît comme si rien ne nous en séparait. C'était à la fois une dou-leur et un plaisir, c'était aiguisé, tranchant, violent. J'en ressentais de la nausée, du vertige. J'ai compris à cet instant que j'étais venu pour res-ter, rien à voir avec les insectes humains qui éclosent et meurent chaque jour. Je devais re-prendre la suite logique de cette aventure, la dis-parition de Mary n'avait rien achevé. Je devais essayer de comprendre. Je devais aller au bout de l'amertume, au bout de la jouissance du malheur.

Alors j'ai gardé la chambre à l'hôtel, je me suis

installé. Pour donner le change au patron, je lui ai acheté une canne à pêche, des hameçons, une boîte à appâts. J'ai loué sa tente. Les nuits où le vent faiblit, je m'installe sur la dune, au bord de la plage vide, non loin des toilettes en ciment. J'écoute la mer.

Les gens de l'île ne me disent rien. Ils ne m'ont pas accepté, mais ils ne me critiquent pas non plus. C'est l'avantage des lieux fréquentés par les marées de touristes. Le mot étranger n'y a plus vraiment de sens.

Personne ne se soucie de moi. Personne ne se souvient de moi. Personne n'a gardé le nom de Mary. C'était autrefois, dans un temps très ancien, mais ça n'est pas une raison. Ici, le vent de la mer efface tout, use tout. Des noyés, ici, il y en a eu par dizaines. Des femmes de la mer, plongées, étouffées, dérivant sur le fond avec leurs ceintures de plomb. Des accidents de décompression, des apnées, des crises cardiaques. Le vent souffle sur ces champs minuscules, geint à travers les murailles de lave à claire-voie. Je suis plongé dans une quête amère et vaine. Comment ces gens pourraient-ils comprendre ? Leur souci est la vie de chaque jour, au jour le jour, et ceux qui partent ne reviennent plus jamais. Ma passion me fait mal et me fait du bien en même temps. En termes médicaux on appelle ça une douleur exquise. C'était cela que les militaires me décrivaient, quand je les suivais, mon carnet de notes à la main. Ils ne parlaient pas de torture. Ils parlaient d'un jeu, une douleur répétée, lancinante, qui devient indispensable. Une douleur qu'il faut bien aimer, parce que, lorsqu'elle cesse, tout devient vide, et qu'il ne reste plus qu'à mourir.

Je vois Monsieur Philip Kyo tous les jours. Au début, c'est moi qui allais à sa rencontre. Après l'école, ou les jours de congé, je descendais à travers champs, je suivais le rivage jusqu'à ce que je le trouve. Maintenant, c'est lui qui me cherche. J'attends dans les rochers. Il arrive avec sa canne à pêche. Il lance un peu, mais il se lasse parce qu'il n'attrape jamais rien. Juste quelques petits poissons transparents pleins d'arêtes. Quand c'est moi qui lance, il m'arrive de pêcher des gros, des poissons rouges, des limandes. Monsieur Kyo n'est pas très doué. Il a du mal à enfiler la crevette dans l'hameçon, j'ai beau lui montrer comment faire, commencer par la tête et remonter jusqu'à la queue. Il n'y arrive pas. Il a de gros doigts maladroits. Mais ses mains sont bien tenues, j'aime ça. Il n'a pas d'ongles cassés, il en prend soin avec une lime et un coupe-ongles, et j'aime bien ça. Je n'aime pas les hommes qui ont les ongles sales de Mr. Brown, le petit ami de ma mère. Monsieur

Kyo a des mains un peu ridées, la peau assez noire, et les paumes bien roses. Même si ses mains sont maladroites, la peau de ses paumes est bien lisse et sèche, car je déteste par-dessus tout les hommes qui ont des mains humides. Les mains chaudes et humides me font frissonner de dégoût. Moi, j'ai toujours les mains sèches, sèches et froides. Mes pieds aussi sont toujours froids, mais il paraît que c'est le cas de la plupart des femmes.

Nous restons à pêcher et bavarder jusqu'à ce que la nuit tombe. La plupart du temps nous oublions de pêcher. Quand le vent souffle, et que la mer est mauvaise, ça ne sert à rien de lancer la ligne. Les poissons restent au fond de l'eau dans leurs grottes. Monsieur Kyo reste assis dans les rochers, sans bouger, il regarde la mer. Il a une expression vraiment triste quand il regarde la mer. C'est comme si la couleur de la mer entrait dans ses yeux.

« À quoi vous pensez ? » je lui demande. Est-ce qu'une gamine de treize ans peut s'intéresser à ce que pense un vieux ? Il n'est même pas étonné. « Je pense à ma vie, dit-il. — Vous avez fait beaucoup de choses dans votre vie ? » Il ne répond pas tout de suite. J'ai un peu l'habitude des vieux, je fais toujours parler les femmes de la mer. Je suis sûre que beaucoup de gens trouveraient ça bizarre, que je leur parle. Mais je sais que lorsqu'on devient vieux, on aime bien que les jeunes vous posent des questions. Je crois que j'aimerai bien ça quand je serai vieille. « J'ai étudié pour être architecte, et puis je suis devenu journaliste. J'ai débuté pendant mon service militaire, j'envoyais des articles sur ce qui se passait au front. J'aime bien écrire, mais je n'arrive pas à écrire un livre. Je suis venu ici pour avoir le temps d'écrire un livre. » Il parle avec un accent, il cherche ses mots. J'aime bien sa façon de parler anglais, il a un accent très british, j'écoute et je répète les mots quand je suis seule. Il me semble que c'est une langue différente de celle que ma mère m'a apprise. Monsieur Kyo dit que j'ai un bon accent, c'est peut-être parce que mon père est américain, mais évidemment, ça je ne le lui ai pas dit, ça ne regarde personne. J'aime bien parler une autre langue, pour que les gosses de l'école ne me comprennent pas. C'est ça que je demande à Monsieur Kyo : « S'il vous plaît, apprenez-moi d'autres mots dans votre langue. » Je crois que ça aussi ça lui plaît. Ça l'a fait rire, je suis sûre qu'il se sent flatté. Les adultes aiment bien enseigner quelque chose. Ça compense le fait qu'il ne soit pas très bon à la pêche. Il me donne des mots nouveaux : « *Angle, thread, hooks, snapper, starfish.* » Il me dit des mots que je ne comprends pas, des mots de marin : « *Starboard, stern, seabass, bow, aft bow, mooring.* » Ce ne sont pas les mots que je veux retenir, c'est la façon de les dire. De les chanter. Je lui fais répéter les mots, je regarde sa bouche pour comprendre la

musique. Ce que j'aime bien, c'est que, contrairement à la plupart des gens, Monsieur Kyo ne
me pose jamais de questions personnelles. Il ne
m'a jamais demandé : « Quel âge avez-vous ? »
Ou : « En quelle classe êtes-vous ? » Peut-être
qu'il croit que je suis grande, pas une adulte mais
presque, et c'est pour ça qu'il accepte de me parler. Souvent je dis que j'ai seize ans ou même dix-
huit ans. C'est vrai que je suis grande de taille, je
dépasse la plupart des femmes ici, et j'ai déjà les
seins qui poussent, et je suis réglée depuis un
bon moment. Depuis le début de l'année, j'ai
commencé. Ça m'est arrivé la première fois au
collège, en pleine classe, j'avais tellement honte
que je n'osais plus me lever de ma chaise. Une
autre fois, j'avais tellement mouillé mon lit que
j'ai cru que j'avais pissé en dormant, mais c'était
du sang. J'ai dû me lever la nuit et laver mon
drap dehors, à l'eau froide, parce que maman
m'a toujours dit que pour laver le sang il fallait
de l'eau froide.

« Et vous, Monsieur ? » Je lui dis : « Monsieur. »
Comme on dit dans l'armée : « *yessir* », ou « *no
sir* ». Comme si j'avais le droit à mon tour de poser des questions. Mais j'oubliais qu'il n'avait
rien demandé. « Vous êtes marié ? Vous avez des
enfants ? » Il a secoué la tête : « Non, non, pas marié, pas d'enfants. — C'est triste, qui est-ce qui va
s'occuper de vous quand vous serez très vieux ? »

Il a haussé les épaules, il est évident qu'il s'en fout.

Après cela, nous n'avons plus rien dit, ni lui ni moi, pendant un moment. J'ai pensé que les questions personnelles l'ennuyaient. Monsieur Kyo a un visage qui se ferme facilement. Ce n'est pas le genre de personne que vous rencontrez tous les jours, qui est prêt à faire marcher sa langue pour un oui ou pour un non. C'est quelqu'un d'assez mystérieux. Il a une ombre sur son visage. Quand je lui parle, tout d'un coup une sorte de nuage passe devant ses yeux, sur son front.

Avec Monsieur Kyo, nous avons inventé un drôle de jeu. Je ne sais plus si c'est lui ou moi qui ai commencé. C'est le jeu que nous jouons quand il y a cette ombre sur son visage. Au début, nous touchions des choses sur la plage, des morceaux de rien du tout, des bouts de bois, des feuilles d'algues. Puis nous avons décidé de faire cela à tour de rôle, en prétextant que nous déplacions des pions, ou des dominos. Ce sont juste des petits riens qu'on trouve dans le sable, ou dans les creux de rochers, des brindilles, des plumes d'oiseau, des coquilles vides. Nous les posons devant nous, dans le sable nettoyé et bien plat. « À vous », dit Monsieur Kyo. Je mets un bout de ficelle. « À moi », dit Monsieur Kyo. Il place un brin d'algue séché, torsadé. « À vous. » Un mor-

ceau de verre dépoli. « À moi. » Il met un caillou
plat. « À vous. » Je mets un autre caillou, plus
petit, mais veiné de rouge. Il est perplexe, il
cherche autour de lui, visiblement il n'y a rien de
mieux. « C'est vous qui gagnez », dit Monsieur
Kyo. Ça peut sembler idiot, mais quand nous
jouons, ça veut vraiment dire quelque chose. Ce
caillou veiné de rouge est vraiment gagnant. Surtout, quand nous jouons à ce jeu, Monsieur Kyo
oublie ce qui le préoccupe. La tache sombre
s'efface de ses yeux, ils redeviennent clairs et
rieurs. Ils reflètent l'éclat du soleil dans la mer.

C'est notre jeu. Je l'ai appelé « À vous, à moi »
tout simplement. Quand nous nous mettons à
jouer, nous ne pensons plus à rien d'autre. Le
temps n'existe plus. Nous pourrions ne jamais
nous arrêter. Moi, ça me fait rire, mais Monsieur
Kyo reste sérieux. Même lorsqu'il pousse quelque
chose de bizarre, ou de comique, il garde un
visage sérieux. Mais ses yeux disent le contraire.
J'aime la couleur de ses yeux quand nous jouons.

Ai-je parlé de la couleur des yeux de Monsieur
Kyo ? Ils sont verts. Mais d'un vert changeant,
vert de feuille de salade, ou bien vert d'eau.
Quelquefois de la couleur du creux de la vague
qui déferle, quand les bulles d'air et l'eau de
pluie s'en mêlent. Dans son visage sombre, ses
yeux font deux taches de lumière. Si je regarde
trop ses yeux, je sens une sorte de vertige. Alors
je cesse de le regarder, je me penche sur le sable

pour chercher quelque chose qui continue le jeu. Mon cœur bat plus vite, j'ai l'impression que si je continue à regarder ses iris, je vais tomber. Ou bien m'évanouir. Mais bien sûr je ne pourrais pas lui en parler. D'ailleurs il ne fixe jamais les gens très longtemps, en fait je devrais parler de moi, car je ne l'ai jamais vu quand il est avec d'autres personnes. Et puis, quand il s'en va, j'ai remarqué qu'il met des lunettes de soleil, même lorsque la nuit est en train de tomber.

Nous nous voyons tous les jours ou presque. Monsieur Kyo a pris une place importante dans ma vie. Je l'ai écrit dans mon journal, puisque je ne peux en parler à personne d'autre. Quand je sors de l'école, et aussi le dimanche après l'église, je cours à travers les champs de patates jusqu'au rivage. De loin, je reconnais sa silhouette, son complet-veston qui flotte dans le vent. Les premiers temps, il portait même une cravate pour aller à la pêche. Mais elle le fouettait dans les bourrasques, et il a fini par l'ôter. Mais j'aime bien qu'il soit élégant, contrairement aux touristes qui se croient obligés de circuler en bermudas à fleurs ou en anoraks jaunes. Quand il pleut, il apporte un parapluie, non pas un de ces ridicules petits parapluies pliants, mais un parapluie noir comme les hommes d'affaires en Angleterre. Le vent a fini par le retourner, et il a décidé de s'en passer. L'eau ruisselle sur sa casquette et mouille son veston. Les jours où il fait vraiment

mauvais, il s'abrite sous sa tente. Il l'a plantée
dans la dune, un peu à l'écart des plages. C'est
une tente en nylon vert, attachée par des piquets
de métal. C'est l'hôtelier qui la lui loue. Alors
nous allons nous abriter de la pluie sous sa tente.
Il y a une sorte d'auvent, nous sommes assis dans
la tente mais les jambes de Monsieur Kyo dépas-
sent au-dehors. J'adore ça ! J'ai l'impression que
nous sommes très loin, dans un pays inconnu, en
Amérique, ou en Russie. Un pays dont nous ne
reviendrons jamais. Je regarde les vagues qui
courent sur la mer laiteuse. La brume s'épaissit à
l'horizon. Il me semble que nous sommes sur un
bateau, en partance vers l'autre bout du monde.

Nous parlons, et parlons, et parlons. En fait
c'est surtout moi qui parle. Monsieur Kyo a réponse à tout, il connaît tout. C'est parce qu'il est
écrivain. Mais il n'est pas prétentieux, simplement pour toutes les questions il a une réponse.
Il a connu toutes sortes de gens, toutes sortes de
pays, il a fait toutes sortes de métiers. Je crois que
c'est pour ça aussi qu'il est triste. Ça doit être
triste de tout savoir, non ? Au début, il ne répondait pas beaucoup. Il écoutait mes bavardages, il
avait l'air de penser à autre chose. Je lui posais
une question sur ses voyages, sur son métier de
journaliste, et il ne semblait pas entendre. Alors
je lui donnais des coups : « Hé, Monsieur !
Monsieur ! » Il sursautait : « Qu'est-ce que vous
voulez ? — Pourquoi vous ne m'écoutez pas ?

Est-ce que c'est parce que je suis jeune que vous
pensez que je ne dis rien d'intéressant ? » Je suis
comme ça. Les grands ne me font pas peur. Ni
même les professeurs. Je peux leur donner des
coups de poing, les pincer. Je fais ça gentiment,
juste pour les réveiller. « Vous dormez ? Vous
pouvez dormir les yeux ouverts ? Faites attention, le vent va vous faire tomber, le vent va vous
pousser dans la mer ! » Ça le déride. Maintenant
il est attentif. Parfois mes blagues le font rire.
J'imite son accent, sa façon de parler, de débuter
toutes ses phrases par « euh, arrh » parce qu'il
ne sait pas quoi répondre. Mais il connaît bien le
nom des oiseaux, pétrels, fulmars, becs-en-ci-
seaux, hirondelles de mer, et les insectes aussi,
les papillons, les scarabées, et ces fameux cafards
de mer qui grouillent entre les rochers à la marée basse. Peut-être qu'il est professeur, un professeur qui ne va plus à l'école. Peut-être qu'il a
été renvoyé à cause d'un scandale, parce qu'il
était pédophile, qu'il touchait les filles dans une
école de son pays, et que c'est pour ça qu'il est
venu se réfugier ici. L'idée m'a paru comique, et
j'ai même essayé de parler là-dessus, mais il n'a
pas compris. Ou bien il n'a pas voulu écouter.
Non, je ne peux pas l'imaginer en vieux pervers
qui profite de la gym pour mettre ses mains sur
les fesses des gamines. D'ailleurs il n'a pas le
physique d'un prof. Il n'est pas très grand, un
peu voûté, mais il a de belles épaules, et quand il

ne met pas sa casquette il a beaucoup de cheveux frisés avec des fils blancs, c'est très élégant.
Peut-être qu'il est policier, qu'il est venu sur l'île
pour faire une enquête sur un crime. Il joue le
rôle de quelqu'un qui va à la pêche, mais c'est
pour observer les allées et venues des gens. Mais
il ferait un drôle de policier, avec son complet-
veston noir et sa chemise blanche.

Je lui pose des questions saugrenues, je veux
dire, pour une enfant de mon âge. Je lui demande : « Où est-ce que vous voudriez mourir ? » Il
me regarde sans répondre, il n'y avait probablement jamais pensé.

« Moi, je lui dis, je voudrais mourir dans la
mer. Mais pas noyée. Je voudrais disparaître dans
la mer, et ne jamais revenir. Je voudrais que les
vagues m'emportent très loin. »

Son visage a fait la grimace, j'ai cru qu'il allait
rire. Mais en le regardant mieux, j'ai vu que
c'était plutôt une grimace de colère. « Pourquoi
vous dites des choses pareilles ! Qui est-ce qui
vous a parlé de disparaître dans la mer ? » C'était
la première fois qu'il paraissait fâché de ce que je
disais. Il a ajouté, d'une voix plus calme : « Vous
ne savez pas de quoi vous parlez ! Vous ne dites
que des bêtises ! » Ça m'a rendue honteuse, j'ai
pensé que je devais lui serrer le bras, appuyer ma
tête sur son épaule pour qu'il me pardonne, mais
au lieu de cela, je me suis sentie vexée : « D'abord,
pourquoi c'est des bêtises ? Je ne suis pas idiote,

je pense à la mort, même si je suis très jeune. »
C'était vrai, plusieurs fois j'étais allée au bord de
l'eau, j'avais pensé sauter dans les vagues, me laisser prendre par la mer. Sans véritable raison,
juste parce que j'en avais assez de l'école, j'en
avais assez du petit copain de ma mère qui
n'arrête pas de lui chuchoter des choses sucrées,
des petites fourberies.

« N'en parlons plus, June. » C'était la première
fois qu'il prononçait mon nom, et ça m'a fait
fondre parce que ça voulait dire que j'étais quelqu'un pour lui, pas juste une stupide gamine qui
s'ennuie et regarde le bouchon de sa ligne flotter
dans l'eau du port. Avant de partir, je lui ai fait un
baiser léger sur la joue, très vite, le temps de sentir sa peau rude et l'odeur un peu acide (les vieux
ont toujours plus ou moins cette odeur acide).
Comme s'il était mon père ou mon grand-père
ou quelque chose. Et je suis partie en courant
sans me retourner.

Je ne comprends pas comment ça m'est arrivé. C'est un peu de la façon dont la plupart des choses se passent pour moi, je ne fais pas très attention, je parle, j'écoute, je suis distrait, je remarque qu'il y a quelqu'un, là, à côté, alors qu'avant il n'y avait personne. Sur un banc, au restaurant, ou à la plage. Sur la grande digue de béton où je vais à la pêche, même si je n'y connais rien, juste parce que pêcher me permet de rester des heures à regarder la mer sans que personne se demande pourquoi, et voilà. Elle est venue me parler. Elle a envahi ma vie. Une gamine ! Elle prétend qu'elle a seize ans, mais je vois bien qu'elle ment, elle va toujours à l'école, à seize ans dans ce pays on travaille, on se marie, on ne traîne pas sur les routes ou sur la digue avec un vieux. J'avais bien besoin de ça. Avec mon passé, qu'on me voie avec une gamine ! Je suis sûr que l'unique policier me surveille, à chaque coin de route il est là, il passe lentement

dans sa voiture bicolore, il glisse un regard torve
de mon côté. Il attend l'occasion de m'arrêter.
Il a repéré en moi quelqu'un qui n'est pas ici
juste pour faire du tourisme, un solitaire, un
suspect. Plusieurs fois il est passé avec sa voiture
devant nous, alors que nous revenions de la
pêche. Il ne dit rien, il fait semblant de ne pas
nous voir, c'est encore pire.

Elle s'appelle June. Je dois dire que j'aime bien
son nom. Je suis sûr que Mary aurait aimé la
connaître. Cette chevelure qu'elle a, une crinière
noire, frisée, serrée, avec des reflets fauves. La
plupart du temps elle l'attache en chignon avec
des bouts d'élastique. Mais quand elle est au bord
de la mer, elle relâche ses cheveux, et cela fait
une perruque qui brille au soleil, dans laquelle
fourrage le vent. Mary aussi avait beaucoup de
cheveux, mais très noirs et très lisses, quand elle
les coiffait en chignon elle ressemblait à une
geisha.

Je dois me ressaisir. Je ne suis pas venu dans
cette île pour pêcher des rougets et faire la
conversation à une gamine impubère ! Je ne suis
pas un foutu touriste qui fait la ronde des sites à
voir, prend des photos et coche au fur et à
mesure : le banc du premier baiser, *done*. Le
phare du bout du monde, *done*. L'allée de la solitude, le jardin des promesses, la plage du nau-
frage, *done, done, done*. Puis qui repart quand on
lui a vidé la tête et fait les poches ! L'île, pour

moi, c'est un cul-de-sac sans espoir, l'endroit qu'on ne peut pas dépasser, après quoi il n'y a plus rien. L'océan, c'est l'oubli.

Mary, sa vie, son corps, son amour, disparus sans laisser de traces, sans laisser de raisons. Et aussi cette fille, à Hué, cette femme renversée sur le sol, et qui ne geint même pas pendant que les soldats passent sur elle. Sa bouche qui saigne, ses yeux comme deux taches d'ombre. Et moi qui regarde, sur le pas de la porte, sans bouger, sans rien dire. Mes yeux d'assassin. C'est à cause de ces images que je suis ici, pour trouver ce qui les détient, la boîte noire qui les enferme à jamais. Non pour les effacer, mais pour les voir, pour ne jamais cesser de les faire apparaître. Pour mettre mes pas dans les traces anciennes, je suis un chien qui remonte la piste. Il doit y avoir ici une raison qui justifie tout ce qui est arrivé, une clef à ces terribles événements. Quand je suis arrivé dans l'île, j'ai ressenti un frisson. Littéralement, j'ai senti les poils se hérisser sur ma peau, dans mon dos, sur mes bras, sur mes épaules. Quelque chose, quelqu'un m'attendait. Quelque chose, quelqu'un, caché dans les rochers noirs, dans les fractures, les interstices. Comme ces insectes répugnants, ces sortes de blattes de la mer qui courent par milliers le long du rivage, qui font des tapis mouvants à marée basse sur les jetées et les brisants. Du temps de Mary, ces insectes n'existaient pas — ou bien nous n'y avions pas

prêté attention ? Mary pourtant hait les insectes.
C'est la seule forme de vie qu'elle déteste. Un
papillon de nuit la jette dans la terreur, une sco-
lopendre lui donne la nausée. Mais nous étions
heureux, et pour cela ces insectes ne se mon-
traient pas. Il suffit d'un changement dans l'existence, et d'un coup ce que vous ignoriez devient
terriblement visible, et vous envahit. Je ne suis ici
pour rien d'autre. Pour me souvenir, pour que
ma vie de criminel m'apparaisse. Pour que je la
voie dans chaque détail. Pour que je puisse, à
mon tour, disparaître.

June m'attend. Elle veut me poser des questions. Parfois j'ai envie d'être violent avec elle.
J'ai envie de lui dire, avec des mots méchants,
des mots qui font mal : « Je vais vous expliquer,
petite fille. J'ai été en prison pour complicité de
viol sur une fille qui avait à peu près votre âge.
Des types l'ont tenue au sol et ils l'ont violée
l'un après l'autre, et moi je suis resté à regarder
sans rien faire. C'était la guerre, tout était per-
mis. J'ai fait de la prison, regardez, j'ai mon
numéro de détenu tatoué sur mon bras gauche,
c'est pour ça que je ne porte que des chemises à
manches et des vestons. » Je sais que je le lui
dirai. Je hais ses petites mines sucrées, son
babillage d'enfant. Je le lui dirai pour qu'elle ait
peur de moi, pour qu'elle comprenne que je
peux récidiver, la renverser dans les rochers et

faire d'elle ce que je voudrai, et mettre ma main
sur sa bouche pour l'empêcher de crier, et la
tenir contre la terre par ses cheveux, mes doigts
accrochés à sa tignasse, et respirer sa peur dans
sa bouche ! Quand je la retrouve sur la côte, j'ai
encore la fureur de la nuit en moi, cette onde
aveugle qui vient de la mer et marmonne et res-
sasse toute la nuit, mêlée au vent froid et à la
brume, cette nappe opaque qui recouvre le ciel
et éteint la lune et les étoiles ! June est assise
dans les rochers, vêtue de sa robe longue, ses
cheveux défaits sur les épaules, elle tourne son
visage quand j'arrive, le soleil éclaire sa peau et
fait briller ses yeux. Et moi je viens vers elle avec
la noirceur de la nuit, des haillons de rêves et de
cauchemars sur les épaules, mon visage gris,
mes cheveux gris, comme si je sortais d'un lit de
cendres.

   « Ben, vous n'avez pas bien dormi ? » Elle a ce
ton enjoué que je déteste. « Pourquoi les vieux
n'arrivent pas à dormir ? » Elle a trouvé la réponse : « Parce qu'ils dorment le jour, ils aiment
trop faire la sieste, c'est pour ça qu'ils ne peuvent
pas dormir la nuit. » Elle a raison. Ce n'est pas
aujourd'hui que je lui raconterai mes crimes.

J'ai rêvé que Monsieur Kyo était mon père. Ce n'est pas à cause de la couleur de sa peau et de ses cheveux frisés que j'ai fait ce rêve. C'est parce que je crois bien qu'il se soucie de moi comme l'aurait fait mon vrai papa. Depuis quelque temps, Jo est devenu très agressif. Quand je sors de l'école, il m'attend au coin de la rue et il s'amuse à me tourmenter. Quand ce sont seulement des gros mots et des insultes, je le laisse dire et je continue ma route. Mais à présent il m'attrape et il fait semblant de m'étrangler avec une clef au cou, et puis il accroche ses doigts dans mes cheveux et il m'oblige à baisser la tête jusqu'à ce que je tombe à genoux. J'ai des larmes dans les yeux, mais je résiste. Je ne veux pas lui donner ce plaisir. Je ne sais plus quand, j'en ai parlé à Monsieur Kyo. Il a écouté sans rien dire, j'ai pensé qu'il s'en fichait, de ces histoires de sales gosses. Et un jour, je sortais de l'école, vers trois heures, Jo était là, il m'a prise par les cheveux comme d'habitude. Alors

Monsieur Kyo est arrivé, il marchait vite, il a traversé la rue et il est venu jusqu'à Jo, il l'a attrapé par les cheveux à son tour et il l'a obligé à se mettre à genoux devant moi. Il a maintenu Jo un bon moment, et le garçon se débattait, cherchait à s'en aller, mais Monsieur Kyo tenait bon. Il n'est pas très grand, comme je l'ai déjà dit, mais il a beaucoup de force dans les bras et les mains. Je m'étais écartée, je regardais cette scène, et j'étais fière parce que quelqu'un avait pris ma défense. Monsieur Kyo avait une expression étrange sur son visage, une expression que je n'avais jamais vue avant, de la colère, de la violence, ses yeux brillaient dans son visage sombre, deux rayons de lumière verte, non pas froide, mais à cet instant brûlante, aiguë. Et j'ai entendu sa voix qui disait : « Vous ne recommencerez jamais, vous entendez ? Vous ne recommencerez jamais ! » Il parlait en anglais, Jo ne pouvait pas le comprendre, mais sa voix grondait, j'avais l'impression qu'elle roulait en tonnerre, et le garçon tremblait de l'entendre. Mais moi je n'avais pas peur. Monsieur Kyo était si fort, si beau, j'avais l'impression qu'il était venu d'un autre monde, ou du fond du ciel, pour me trouver sur mon île et m'enlever à mon malheur. Comme si je l'avais toujours attendu, depuis mon enfance, et qu'il avait entendu mes prières. Non pas un ange, ni un esprit bienfaisant, mais plutôt un guerrier, un combattant sans armure, un chevalier sans cheval. Je le regardais, et soudain il a lâché le garçon qui s'est enfui en courant. Et lui, Monsieur Kyo, ne s'est pas retourné pour le regarder partir. Il est resté un instant, son visage encore noirci par la colère, ses yeux verts pareils à des morceaux de miroir, et je ne pouvais pas détacher mon regard. Puis il est reparti à grandes enjambées, et j'ai compris que je ne devais pas le suivre.

C'est cela qui s'est passé. Je ne l'ai raconté à personne, surtout pas à ma mère. Mais j'ai compris qu'à compter de ce jour j'avais un ami. Et même plus que cela, j'ai rêvé qu'il était mon père, qu'il était venu dans l'île pour me trouver, pour un jour m'emmener avec lui très loin, dans son pays, en Amérique.

Un peu plus tard, quand j'ai revu Monsieur Kyo, je lui ai dit : « Est-ce que vous viendrez un jour à la maison pour rencontrer ma mère ? » J'ai dit : « Ma mère, elle parle bien l'anglais. » J'ai ajouté tout de suite, pour qu'il ne croie pas que c'était par politesse : « C'est seulement si vous voulez, bien sûr il n'y a aucune obligation. » Il n'a dit ni oui ni non, il n'a pas répondu à la question, et j'avais un peu honte de la lui avoir posée. Alors je me suis dépêchée de lui parler d'autre chose, de la pêche, des coquillages que ma mère vend aux restaurants, comme si j'avais voulu qu'il devienne son client et qu'il lui achète des ormeaux.

N'empêche que, après ce qui s'est passé à la sortie de l'école, Jo ne m'a plus jamais embêtée. Il grommelle toujours ses gros mots quand je passe

devant lui, il me traite de guenon, mais il se méfie.
Je vois ses petits yeux chafouins qui regardent à
gauche et à droite, il guette si Monsieur Kyo n'est
pas dans les parages, caché derrière un pylône, ou
dans l'ombre d'une porte. Ou dans la boutique de
la pharmacienne, qui est juste au carrefour.

Cela aussi, j'ai oublié de le dire, c'est un fait
nouveau dans la vie de Monsieur Kyo. Un jour
que nous avions escaladé des rochers, dans les
bourrasques, par une mer tempétueuse, j'ai
glissé et je me suis écorché le genou contre une
pierre pointue. J'avais mal, et puis ça saignait
beaucoup. Monsieur Kyo a fabriqué un bandage
avec un morceau de sa chemise qu'il a découpée
avec son petit couteau de pêcheur. Il a regardé le
tissu qui s'imbibait de sang : « Vous feriez mieux
d'aller à la pharmacie pour qu'on vous désin-
fecte et qu'on vous mette un bon pansement. » Il
n'y avait pas à discuter. Je ne pouvais pas sauter
dans les rochers, alors il m'a portée jusqu'à la
route, et malgré la douleur à mon genou j'ai été
contente d'être soulevée dans ses bras, il est très
fort et je sentais sa poitrine contre moi. Puis nous
avons marché vers le village, et je m'appuyais sur
lui, je faisais exprès de boiter pour rester bien
serrée contre son bras en marchant. Je n'étais
jamais allée chez la pharmacienne, elle est nouvelle dans notre île. Elle est jolie, avec un visage
un peu blanc et des yeux cernés, sa boutique est
minuscule, protégée de la rue par un rideau en

toile blanche qu'il faut soulever pour entrer. Monsieur Kyo a passé un long moment dans la pharmacie pendant que la dame nettoyait la plaie à l'alcool, et faisait le pansement avec une pommade, et entourait le genou avec une bande de coton. Je n'avais plus vraiment mal, mais j'exagérais les grimaces et les soupirs pour me rendre intéressante.

J'ai tout de suite compris que Monsieur Kyo était séduit par cette femme. C'est ridicule, mais ça m'a mise en colère. Je n'aime pas que les grands se conduisent comme des enfants. Surtout, je ne voulais pas que quelqu'un de la valeur de Monsieur Kyo se laisse embobiner par une femme ordinaire, cette pharmacienne, même si elle est jolie. Ça me donne l'impression qu'il devient semblable à elle, je veux dire quelqu'un d'ordinaire, pas digne d'être mon père. Quelqu'un de banal, qui dit des choses sans y croire, qui sourit, qui bavarde. Monsieur Kyo est tout le contraire, il est fort, il peut parler comme le tonnerre, il peut regarder avec ses yeux verts et les gens ont peur.

Mais après coup, en y réfléchissant, j'ai compris qu'il devait déjà connaître cette femme, et que c'est pour cela qu'il était intervenu à la sortie de l'école. Quand Jo m'avait tirée par les cheveux, Monsieur Kyo était dans la boutique de la pharmacienne, il n'a eu que quelques pas à faire pour arriver. J'avais cru qu'il était venu de nulle part, mon génie protecteur, mais c'est juste qu'il était occupé à parler avec cette femme. Ça m'a ennuyée, mais en même temps je me suis sentie rassurée, j'avais un ange gardien. Un bon génie. La pharmacienne n'avait pas tellement d'importance après tout, c'était juste une jolie fille un peu bavarde. Une femme ordinaire.

Maintenant que nous sommes vraiment des amis, Monsieur Kyo et moi, je me sens vraiment libre en sa compagnie. Pas au point de lui parler familièrement ni de l'appeler par son prénom (même si j'aime beaucoup le prénom Philip). Mais je me sens libre de parler de ce que je veux quand je veux. Par exemple, j'invente pour lui des histoires, des anecdotes, pour le distraire, pour le faire rire. Pour lui, je chante toutes les chansons que je connais, les vieilles chansons en anglais, *Little Boy Blue, Mary Quite Contrary, Old King Cole* qui demande son bol, sa cuiller et ses trois joueurs de violon. Et aussi des chansons que j'ai entendues à la radio, d'Elvis, ou de Nina Simone, ou encore les chansons de *The Sound of Music*, parce que je regarde le film en vidéo chaque fois que je suis seule à la maison. J'ai bien vu que ça lui plaisait, son visage devient plus doux, ses yeux n'ont plus le même éclat de verre, ils s'embuent. « Vous avez une jolie voix, m'a-t-il dit un jour. Vous pourriez devenir une chanteuse quand vous serez grande. » C'était un compliment qui m'a fait battre le cœur et qui m'a donné chaud aux joues. « Oh oui, j'aimerais bien être une chanteuse, ai-je dit. Le seul endroit où je peux chanter, c'est à l'église, le pasteur joue du piano et je chante les cantiques. » Il a eu l'air intéressé. « Alors je pourrai aller vous écouter un dimanche. » J'ai été trop enthousiaste je crois, j'ai crié : « Oui, Monsieur. S'il vous plaît, s'il vous plaît. » Pour cela il s'est rembruni. « Peut-être, je viendrai, on verra. » Je crois que j'ai été un peu honteuse d'avoir montré ma joie, mais j'ai vraiment cru qu'il allait venir à l'église la prochaine fois, le dimanche suivant. S'il l'a fait, il s'est bien caché, parce que j'ai eu beau chercher, je ne l'ai pas vu. Peut-être qu'il n'aime pas trop les églises car j'ai remarqué que chaque fois que je mentionne l'église, ou le pasteur, il change de conversation, ou bien il reste muet comme les poissons que nous pêchons. Même une fois, je lui parlais du ciel, du paradis, et lui s'est mis à ricaner. « Ça, ce sont des histoires qu'on raconte aux enfants. Le ciel, ça n'existe pas. » Je n'aime pas quand Monsieur Kyo a ce rictus, il découvre ses vilaines dents, il en a une en particulier qui sort sur le côté, une canine pointue, un vrai croc de chien.

Je voudrais tellement lire dans ses pensées, comprendre pourquoi il est ainsi, sombre et silencieux, avec cette lumière triste dans ses yeux. S'il était vraiment mon père, je pourrais connaître sa vie, je saurais lui poser des questions, le consoler, le faire rire. Lui changer les

idées. Partager son histoire. Parfois il me fait penser à la mort. Je pense à ce qui va arriver dans
quelque temps, il ne sera plus là, ma mère non
plus. Je pense que je serai seule, que jamais plus
je ne rencontrerai quelqu'un comme lui, jamais
plus je n'aurai la chance de rêver à mon père.

Mais heureusement ça ne dure pas. J'invente
quelque chose pour le distraire, un jeu, une devi-
nette. Une historiette locale. Voici celle que je
lui raconte un dimanche après-midi, quand nous
sommes en haut de la falaise, assis au milieu des
buissons de camélias :

HISTOIRE DE LA VACHE

Il était une fois dans une île
Une île où il n'y a pas d'animaux, ni d'oiseaux
Il n'y a que des hommes et des femmes
Les gens s'y ennuyaient, et de plus il n'y avait pas
　　beaucoup à manger
juste des patates et des oignons
En hiver surtout c'était triste parce que les nuits sont
　　longues
Il fait froid, il y a beaucoup de vent et de pluie
et du brouillard
Un jour quelqu'un est arrivé dans l'île
Un visiteur étranger comme vous
Personne ne savait son nom
C'était un homme bien étrange
Il était grand et fort avec une tête longue
et des yeux jaunes qui faisaient peur

Il était habillé avec un long manteau
et il portait un chapeau noir
Il ne parlait jamais à personne
et s'il parlait sa voix était forte et grave et tout le monde
    avait peur
Une nuit l'étranger a disparu
Une nuit de brouillard
Une nuit où on a peur de sortir parce qu'on peut
    tomber de la falaise
Et les gens de l'île ont entendu un cri
C'était la voix de l'étranger
La voix allait et venait dans la brume
et on entendait aussi des bruits de pas dans les ruelles
des pas qui traînaient, flop, flop
Et le matin, le brouillard s'est levé
Alors les gens ont vu au milieu des champs une vache
Une belle vache noire
C'était l'étranger qui s'était transformé en vache
C'était la première fois qu'ils voyaient une vache dans
    cette île
Alors les gens de l'île n'ont plus eu peur
Ils ont demandé du lait à la vache et les enfants ont eu
    du lait
Voilà tout
Maintenant, chaque fois que le brouillard tombe sur
    l'île quelqu'un disparaît
Et le matin suivant il y a une vache de plus
C'est pourquoi vous devez faire très attention au
    brouillard
car vous êtes un étranger

Monsieur Kyo a hoché la tête : « Vous avez de l'imagination. »

Pendant un instant ses yeux verts étaient devenus un peu jaunes, de la couleur exactement des yeux des vaches.

Je suis allé pour la première fois à l'église. En fait d'église, c'est juste le rez-de-jardin d'un petit immeuble du centre du village. On descend quelques marches et on est devant une porte double matelassée, et malgré le capitonnage j'entendais la musique qui venait de l'intérieur, un brouhaha de piano et de voix. Quand j'ai poussé la porte, j'ai entendu la voix de June. Elle était sur une sorte de podium, entourée d'enfants de son âge, mais elle les dominait d'une tête. À droite de la scène le pasteur était au piano, il jouait un air un peu lent et mélancolique, mais rythmé, et les fillettes frappaient dans leurs mains en cadence.

Elle chantait en anglais : *nobody knows but Jesus*, je connais les paroles. C'était sa voix très claire, non pas aiguë comme celle des enfants, mais une voix forte et un peu grave, et j'ai ressenti un frisson. Je suis resté devant la porte, même si les gens du dernier rang se sont serrés pour me faire place sur leur banc. Je ne pouvais pas avancer. Quelque chose m'empêchait d'entrer complètement dans la pièce, comme si je n'avais pas le droit. Comme si tout à coup on allait me prier de sortir, on m'aurait reconnu et je n'avais plus ma place dans cette église. Ou bien c'était en moi, je ne pouvais pas mettre un pied devant l'autre. Je restais appuyé au chambranle de la porte, l'empêchant de se refermer, pour sentir l'air froid du dehors, repousser l'air du dedans qui était chaud et chargé d'odeur humaine, une odeur bizarre de cuir et de bois, ou de linge frais, une odeur intime et douceâtre qui me répugnait.

À un moment le chant s'est arrêté. June est restée debout sur la scène, éclairée par la forte lampe. La lumière dessinait son corps sous sa robe, la marque de ses seins légers, la petite bosse de son ventre. La lumière brillait sur son front car elle avait tiré ses cheveux en un chignon épais, couleur fauve. Son visage n'était pas souriant, elle semblait fermée sur elle-même, juste une petite grimace sur ses lèvres, son cou formait un pli, ses yeux baissés semblaient regarder un point imprécis devant elle, au milieu de l'assistance. Le pasteur a fait une petite harangue, il a lu des passages d'un livre de prières. Il est jeune, mais il m'a paru infatué et borné, et les gamines autour de lui avaient l'air de sauterelles. Seule June surnageait au milieu de cette assemblée confuse et vaine, avec son visage aux yeux baissés, et son corps massif, les pieds un peu écartés, les bras pendant le long du corps, sans grâce.

Et puis tout à coup, elle m'a vu. Son visage n'a pas bougé, n'a pas souri, mais j'ai vu que ses yeux s'étaient ouverts, j'ai senti le lien de son regard dans le mien, comme si j'entendais battre son cœur dans un fil. Elle n'écoutait plus les paroles de l'homme de religion, elle ne s'occupait plus des gamines à côté d'elle, ni des fidèles qui la regardaient. Elle était tout entière attachée à moi par ce fil, et plus rien d'autre n'avait d'importance. Et moi, j'ai ressenti un trouble que je ne connaissais pas, que je n'avais jamais éprouvé. Je sentais une sorte de vertige, une sorte de violence. J'étais le maître, non pas un maître dominateur, mais quelqu'un qui pouvait diriger chaque pensée en elle, chaque geste et chaque pensée. Le pasteur a fait « hum-hum » plusieurs fois, en répétant la première phrase musicale du cantique, et je ne sais ce que j'ai fait, je crois que j'ai un peu levé la main gauche, la paume tournée vers elle, non pour la saluer, mais pour lui dire de commencer, et June s'est mise à chanter. Est-ce qu'elle n'avait jamais chanté aussi bien, avec une voix aussi claire et forte, en balançant un peu ses hanches et ses épaules, j'ai pensé à Mary autrefois dans sa robe rouge, quand elle était éclairée par le projecteur ? Le pasteur jouait du piano avec un enthousiasme excessif, et les affreuses gamines maigres se contorsionnaient en regardant June, et l'assistance s'est mise à frapper dans ses mains, et quand le cantique a été fini, à applaudir, même si c'était interdit, on n'applaudit pas une prière, mais ce n'était plus seulement une prière. Et moi j'ai reculé lentement, jusqu'à ce que la porte capitonnée se referme et coupe le fil du regard, et coupe le flot de la musique.

Je me débats pour ne pas changer. Je sens le danger autour de moi. Je sens cela, un complot, un plan secret pour m'astreindre, pour limiter ma liberté. Pour m'empêcher de bouger, bloquer mes portes de sortie. Je ne veux pas oublier qui je suis, ni pourquoi je suis venu ici. Je ne veux pas qu'on m'endorme avec de belles paroles, avec des hymnes, je ne veux pas qu'on me prête de bons sentiments. Je ne suis pas quelqu'un de gentil. Je suis un ogre, voilà. C'est ce que Mary me disait autrefois. Elle me disait que je n'existais que pour manger les autres, pour les séduire et les manger.

Je suis venu ici pour voir. Pour voir quand la mer s'entrouvre et montre ses gouffres, ses crevasses, son lit d'algues noires et mouvantes. Pour regarder au fond de la fosse les noyés aux yeux mangés, les abîmes où se dépose la neige des ossements.

Le hasard a mis sur mon chemin un ange, une

enfant innocente et drôle. Pour la première fois depuis longtemps j'ai rencontré un être humain.

En prison, dans le centre de réhabilitation, j'ai vu toutes sortes d'hommes et de femmes, la plupart ordinaires. Ni plus méchants ni plus laids que d'autres. Et maintenant, alors que je n'attends plus rien… Mais je n'en veux pas. Je n'en veux plus. C'est trop tard. Je veux rester celui que je suis, Philip Kyo, un journaliste raté, un écrivain failli, pris malgré lui au piège de ses mauvais instincts, condamné pour un crime qu'il n'a pas commis. Sans espoir d'amélioration.

Le procureur, au cours du procès, a parlé de moi, il a dit que j'étais un monstre froid. « Il n'a pas participé au crime, mesdames et messieurs. Non non, vous pouvez le croire, puisque la victime elle-même en a témoigné. Il n'a rien fait. Il a seulement regardé. Et quand la victime, cette pauvre femme innocente, a tourné les yeux vers lui, pour lui demander, pour le supplier en silence de la secourir, il n'a pas bougé. Il a simplement regardé. C'est tout. Il n'a ressenti aucune pitié, aucune indignation. Il a regardé. Regarder, est-ce que cela veut dire être absent ? A-t-il fait autre chose ? A-t-il ressenti de l'excitation, a-t-il dit quelque chose pour encourager les violeurs ? Il refuse d'en parler, mesdames et messieurs, il s'est muré dans son silence, pour ne pas avoir à répondre aux questions, pour ne pas se sentir responsable, pour ne pas faire face à la vérité. Même s'il ne répond pas

aux questions, les aiguilles du polygraphe ont
parlé à sa place, elles l'accusent. Voyez, aux questions qu'on lui pose sur sa responsabilité, sur ce
viol par procuration dont il n'est pas seulement le
témoin, mais l'un des acteurs, le polygraphe enregistre une décharge d'adrénaline, une accéléra-
tion du cœur, une sueur révélatrice. Un aveu,
mesdames et messieurs les jurés. Un aveu. »

Les portes se sont refermées. Pendant six ans,
j'ai entendu des portes, des verrous, des claque-
ments de pêne. Pendant six ans j'ai été muré
dans le silence. Les cellules. Les couloirs. Les
chambres de l'hôpital psychiatrique, l'aile des
patients dangereux. Quand je suis sorti, après ces
années, je ne connaissais plus le monde. Avec
Mary, j'ai cherché un endroit où me cacher. Moi
pour fuir le passé, elle pour se sauver d'un amour
perdu. Tout était encore possible. Nous étions
jeunes, nous avons parlé d'avoir un enfant. Et un
jour, parce qu'elle était ivre, elle est entrée dans
la mer et elle n'est pas revenue.

J'étais allé sur le continent, pour chercher de
l'argent à la banque, ou pour envoyer une lettre,
je ne sais plus. J'ai pris le bateau du matin, vers
huit heures. Cet après-midi, Mary est entrée
dans la mer. C'était une bonne nageuse. La mer
n'était pas tempétueuse. Juste un peu de houle,
la mer du vent comme on l'appelle. Sans doute
la grande marée à la fin de l'été. Mary a laissé
ses habits dans les rochers, elle a enfilé sa demi-

combinaison de caoutchouc, elle a attaché ses longs cheveux, elle a mis ses lunettes teintées, et elle a nagé vers le soleil.

Pourquoi suis-je revenu ? Tout cela s'est passé il y a si longtemps, dans une autre vie. J'ai travaillé comme tout le monde. Le journalisme, c'était fini. Pour survivre, j'ai donné des cours de langues dans un institut, à Manille. J'ai été agent de change, exportateur d'aliments lyophilisés, distributeur d'argile pour les litières de chat, j'ai même tenu un bar aux Philippines, au sud, sur une plage fréquentée par les touristes japonais et canadiens. J'ai connu des femmes, la plupart des professionnelles, j'ai attrapé une chaude-pisse en Thaïlande, des morpions, un moment j'ai même cru que j'avais chopé le sida, mais la prise de sang était négative. Peut-être que j'aurais dû mourir vingt fois mais je suis toujours là. Ça fait une éternité que je n'ai plus rien qui ressemble à une famille. La dernière fois que j'ai eu des nouvelles de mon frère, il était en Nouvelle-Zélande, marié à une Anglaise. Quand j'étais en prison, personne n'est venu me voir. Personne ne me cherche. Probablement je ne manque à personne.

Peut-être que je suis revenu dans cette île pour mourir. Je n'y avais pas vraiment réfléchi, parce qu'au fond ça m'est égal de mourir ici ou là. De toute façon on ne vit pas sa mort, ce n'est pas moi qui l'ai dit. Mais June m'a posé la question, quand nous nous rencontrions pour pêcher sur la digue, et sa question est entrée dans mon esprit. Une longue boucle qui part de ce rivage et qui finit par y revenir. Quelque chose que je n'ai pas planifié — ça fait longtemps que je ne fais plus de plan pour l'avenir. Quelque chose qui s'est imposé. Il n'y a aucune autre issue. Il n'y a aucune autre explication à mon retour dans cet endroit maudit.

Puisque d'elle, Mary, dont j'ai connu le corps et dont j'ai joui, il ne reste rien, pas une image, pas un souvenir tangible. La mer a tout englouti, elle a effacé son corps et son esprit de la surface du monde. Elle n'existe plus, donc elle n'a jamais existé. J'ai eu beau chercher dans ma mémoire, parcourir les sentiers, m'asseoir dans les rochers, je n'ai rien reconnu. Donc je dois mourir à mon tour. June a raison, je dois trouver le lieu de ma mort, mais je n'ai aucune envie de me noyer. Je sais ce que cela fait, nous en avions noyé un certain nombre dans les opérations, j'étais témoin, là aussi. Pour les faire parler. J'étais le greffier, je regardais, je notais dans mon carnet des bribes. Les corps qu'on basculait dans les bassines, poignets et chevilles entravés, les visages convulsés par la peur, le souffle qui grinçait. Les hurlements. Je regardais, j'écrivais. Ils parlaient toujours, les autres disaient qu'ils chantaient ! Non, la noyade n'est pas pour moi. Plutôt monter en haut de la falaise et sauter. Le choc sur la mer aussi dure et noire qu'une plaque de fonte. Mon corps disloqué, entraîné par les courants, mon corps émietté dans les profondeurs. Donc j'ai visité plusieurs fois la falaise face au soleil levant. J'aime bien l'idée de mourir en regardant le jour qui se lève. Il me semble que c'est logique, que c'est sensé. Comme de mourir à midi pile. Quand le soleil s'arrête quelques millièmes de seconde au zénith, immobile, à envisager la fin du monde, puis qu'il redescend paresseusement vers l'horizon, dans ses falbalas de crépuscule.

Malgré moi, chaque jour je vais au rendez-vous. N'est-ce pas ironique ? Rendez-vous avec une gamine. Rendez-vous si l'on veut, parce que nous ne disons jamais rien, surtout pas au revoir, jamais à demain, rien de prévu. Avec cette drôle d'assurance pour quelqu'un de son âge, c'est elle qui a décidé : « Ce n'est pas la peine de se dire au revoir, de toute façon on est sur une île, où pourrions-nous nous cacher ? »

L'après-midi, je vais à la digue avec mon matériel de pêche, je m'installe sur les brisants, des sortes de pains de sucre en béton où les tarets se sont accrochés. Je prépare les hameçons. J'ai compris la leçon, je sais très bien enfiler la crevette depuis la tête jusqu'à la queue. À la marée montante, je lance la ligne, et j'attends. J'ai acquis un peu d'entraînement et maintenant je ramène des poissons, des gobies, des rougets, et de temps en temps un maquereau égaré. Je suis seul sur la digue. L'endroit n'est pas très poissonneux, à cause des mouvements des ferries. Parfois survient un couple de touristes, égaré lui aussi, l'homme prend des photos de la femme, il arrive même qu'ils me demandent de les photographier ensemble.

June est là. Elle arrive sans faire de bruit, pareille à un chat. Elle s'assoit sur les brisants à côté de moi, et nous restons sans rien nous dire un bon moment. Elle a décidé aussi qu'on ne devait jamais se dire bonjour, pour que le temps se continue sans interruption. Elle reprend ce qu'elle racontait la veille, et qu'elle n'a pas pu terminer. Ou bien elle commence une nouvelle histoire, pour elle le temps n'existe pas, ça fait juste une heure qu'elle est partie depuis la veille, elle ne vit qu'au présent.

« Dans mon rêve, il y a un être étrange au fond de la mer, une grosse fille endormie, une énorme fille… Elle dort au fond de la mer et je m'approche d'elle en nageant sous l'eau, et je m'aperçois qu'elle a les yeux ouverts, de gros yeux bleus de poisson mort, elle me regarde et moi j'essaie de lui échapper, je nage à reculons, mais la mer m'entraîne vers elle, elle tend ses bras, son corps se met à bouger, sa peau tremble comme de la gelée, c'est horrible… »

Ce sont ses rêves qui relient les jours les uns aux

autres. Elle ne vit que pour ses rêves. « Racontez-
moi vos rêves, Monsieur. » Mais moi je ne fais pas
de rêves. Je ne pourrais lui parler que de cette
femme que j'aimais, qui est entrée dans la mer, et
qui n'est jamais reparue. Quand je me suis décidé
à lui raconter cette histoire, elle s'est écriée :
« C'est elle que je vois, Monsieur, cette grosse fille
qui est couchée au fond de la mer ! » J'ai dit d'un
ton sarcastique : « Mais la femme dont je vous
parle n'était pas grosse, et elle n'avait pas les yeux
bleus. » June insiste : « Si c'est elle, j'en suis sûre,
et d'abord elle a pu changer, tout le monde
change en vieillissant ! » Je ne sais pourquoi, cette
histoire la trouble. June ne se contente pas des
apparences. Elle a ce pli entre les sourcils qui as-
sombrit son visage, tout à coup elle n'a plus vraiment l'air d'une enfant. « Qu'est-ce qu'il y a,
petite ? Pourquoi êtes-vous triste à présent ? » Elle
se détourne pour cacher ses larmes, mais je vois
ses épaules secouées par les sanglots. « Pourquoi
pleurez-vous ? » Je passe mon bras autour d'elle, je
la serre contre moi, je sens son corps, je touche
ses épaules rondes. Elle a levé les mains, paumes
retournées, pour cacher son visage. Elle dit :
« C'est parce que vous allez mourir bientôt, vous
allez partir et moi je resterai seule ici avec ces gens
que je déteste. » J'essaie de lui dire : « Mais vous
êtes avec votre maman, vous ne la détestez pas. »
Elle n'écoute pas. Les larmes continuent à couler
de ses yeux et à coller ses cheveux sur sa bouche.

Elle appuie ses poings sur ses paupières pour empêcher ses yeux de déborder. «Votre regard est si
triste, Monsieur, articule-t-elle. Votre regard me
dit que vous allez mourir, ou partir très loin. »

À cet instant je me sens neuf, il me semble que
toutes ces années que je n'ai pas vécues sont par-
données, emportées dans le vent. Grâce aux
larmes d'une petite fille de treize ans. Je serre
June un peu plus fort, j'oublie qui je suis, qui elle
est, elle une enfant, et moi un vieil homme. Je la
serre jusqu'à faire craquer ses os. «Aïe, aïe ! »
Elle n'a pas crié, elle l'a dit à voix basse, et je
l'embrasse sur le front, près de sa tignasse sauvage, je l'embrasse près des lèvres, pour sentir
ses cheveux mouillés, pour goûter à ses larmes,
qui sont l'élixir de ma jeunesse.

Et comme cela, tout d'un coup, sans que je l'aie demandé, nous nous sommes mis à parler de Dieu. Monsieur Kyo, c'est sûr qu'il n'y croit pas. Il ne veut même pas prononcer le nom. Il dit : « Pourquoi est-ce qu'il y aurait quelque chose ? Pourquoi est-ce que tout ça, la terre, les animaux et les humains, la mer. Pourquoi ça ne suffirait pas ? »

Je n'ai rien à répondre, je ne connais pas la vie. « Mais vous ne sentez pas à l'intérieur quelque chose d'autre ? Moi je le sens, c'est une petite boule chaude à l'intérieur, là, au-dessus du nombril, vous ne la sentez pas ? » Avant qu'il ait eu le temps de ricaner, j'ai pris sa main et je l'ai appuyée sur mon ventre, à cet endroit précis. « Fermez les yeux, Monsieur. Fermez les yeux et vous allez sentir la boule chaude. » Il a fait cela, il a fermé les yeux et il est resté immobile, et je sentais la chaleur qui allait de mon ventre à la paume de sa main, puis qui repartait. J'étais telle-

ment sûre qu'il allait découvrir Dieu. J'étais tellement heureuse qu'il perde sa noirceur, son désespoir. J'étais tellement fière de lui avoir fait ce
cadeau. Maintenant il ne pourrait plus l'oublier.
Même si nous devenions étrangers l'un à l'autre,
il se souviendrait toujours de cet instant, quand le
passage s'était ouvert jusqu'à lui, était allé jusqu'à
son cœur.

Il était ému, je crois. Il a repris sa main, mais
il ne l'a pas fermée, il l'a posée sur ses genoux
comme si elle contenait encore la chaleur de
mon ventre.

« June, je ne crois qu'à ce que je vois, je suis
comme ça. » Il avait le visage toujours obscur, ses
yeux invisibles. « Peut-être que je suis trop vieux
pour changer. » J'ai repris sa main, juste pour la
serrer dans la mienne. « Mais vous avez senti,
n'est-ce pas ? Vous l'avez senti en vous ? » Il ne
répondait pas. Il ne pouvait pas le dire.

« J'ai senti ce que vous avez en vous, mais je ne
crois à rien d'autre qu'en vous, June. Je vous l'ai
dit, je suis vieux et endurci, n'essayez pas de me
faire dire ce que je ne peux pas dire. » Il a continué, à voix basse, mot après mot. « Mais vous…
Vous êtes une fille bien… Vous êtes vraie… Je
crois à ce que vous dites… Je crois que vous savez
ces choses… Vous êtes choisie, c'est cela, choisie
pour ces choses. » Il était si près de moi, plus près
que jamais personne n'avait été, pas même ma
mère ou le pasteur David. Comme sur le seuil, il

aurait suffi d'un pas. Mais au même moment j'ai su qu'il ne le ferait pas, qu'il ne passerait pas la porte. Il l'a dit : « Moi je suis du mauvais côté du monde, June. Je ne serai jamais du même côté que vous. »

Je lui parle à voix basse, sans le regarder. Peut-être que c'est pour lui faire comprendre, ou peut-être que c'est pour mieux m'en souvenir. « Je ne l'ai dit à personne, personne d'autre que vous, Monsieur. Mais vous ne devez jamais le répéter, ni vous moquer de moi, vous me le promettez ? » Il hoche la tête. Peut-être qu'il pense que je vais lui raconter ces petites choses douces que les enfants inventent parfois pour cajoler les vieux.

« Ça s'est passé dans notre église, après les chants, j'étais restée seule, tout le monde était parti, même maman, j'avais chanté dans le chœur, et j'étais assise sur ma chaise, j'avais froid, je me sentais seule et triste, et à un moment, c'était là, dans mon ventre, j'ai senti cette chaleur qui grandissait, qui allait dans mon corps, j'ai senti cette boule chaude, j'ai senti que je flottais, je fermais les yeux et je sentais cette chaleur au fond de moi, et je n'avais plus peur, je n'étais plus seule, il y avait une voix qui parlait en moi, dans mon esprit, elle ne disait rien que je pouvais comprendre, ce n'étaient pas les mots de tous les jours, c'était une voix qui me parlait à moi seule, rien qu'à moi. »

Je ferme les yeux, et il me semble que je l'entends encore, là, au bord de la mer. C'est une voix ni grave ni aiguë, une voix qui fait un bruit de mouches, un bruit d'abeilles. Je voudrais que Monsieur Kyo entende cette voix, s'il l'entendait, il ne serait plus jamais le même. Est-ce qu'il entend ? Est-ce que je parle ? J'appuie sa main sur mon ventre, sa main large et forte, et la voix doit passer par ses longs doigts, par sa main ouverte, sa main doit entendre la voix qui murmure des mots vibrants, des mots lents et lourds, des mots qui ne finiront pas. Il est le seul qui connaisse mon secret, je ne l'ai jamais dit à maman ni à personne, je ne l'ai jamais dit au pasteur. Mais lui, Monsieur Kyo, il est au bord, il n'a qu'un pas à faire, et tout sera changé. Un instant, il me semble qu'il m'a entendue, puis il retire sa main, il s'éloigne. Il a peur de ce que penseraient les gens s'ils nous voyaient, sa main appuyée sur le ventre d'une fille de treize ans. Il s'est écarté, et son visage est couleur d'ombre, ses yeux n'ont pas de lumière. Il dit : « Je ne peux pas, June. Je ne suis pas quelqu'un de bien. Je ne peux pas être celui que vous attendez, je suis un homme comme les autres. » Il s'est reculé, le dos appuyé à un rocher. La lumière du crépuscule est comme un brouillard qui descend sur son visage. La nuit, les humains ne sont plus eux-mêmes, ça je l'ai compris il y a longtemps, quand ce type est venu habiter chez nous, et que ma mère et lui se chuchotent des mots doux. « Vous allez vivre votre vie, vous allez quitter cette île et vous irez dans le monde. Vous m'oublierez, vous oublierez tout, vous serez quelqu'un d'autre, June. » Ses mots me font si mal. Ses mots me transpercent et s'enfoncent dans mon cœur. Pourquoi ne m'a-t-il pas écoutée ? « Pourquoi vous ne me croyez pas ? Je... » Mais les larmes m'empêchent de parler. Il a un élan pour me serrer dans ses bras, mais je n'en veux plus. Je n'en voudrai jamais plus. Je n'ai pas besoin de son câlin. Je ne suis pas une petite fille qui a cassé son jouet, je ne suis pas une femme amoureuse qu'on a laissée tomber. Pour cela, il n'a qu'à aller voir sa pharmacienne. C'était autre chose, et il n'a rien compris. Je suis partie en courant, vers la maison. J'ai couru en remontant la pente vers le haut de l'île, j'avais envie de crier : « Je vous hais ! » J'avais envie de mourir. Les chiens aboyaient dans les maisons, c'était le soir, les lumières étaient allumées, quelques voitures passaient lentement.

Nous avons passé une nuit ensemble. N'allez pas croire que nous sommes des amants et tout. J'ai profité que ma mère est occupée avec son petit ami, je suis sortie par la fenêtre et j'ai couru à travers les champs jusqu'à la plage, où Monsieur Kyo a dressé sa petite tente militaire. Quand il n'y a pas de vent, et que la mer est calme, c'est là qu'il va dormir, pour écouter le bruit des vagues. Il ne sa-

vait pas que je devais venir, mais il n'a pas eu l'air
surpris quand je me suis arrêtée devant la porte de
sa tente. Je ne sais pas s'il avait bu quelque chose,
mais il avait l'air content, il souriait. « Entrez, a-t-il
dit, vous ne voulez pas rester dehors ? » L'intérieur
de la tente est tout petit, avec un toit très bas. Sur
les côtés sont cousues des sortes de poches avec du
tissu anti-moustiques. Quand on est assis par terre,
l'air circule doucement, et on entend tous les
bruits de la mer. La toile du toit ondule dans le
vent. Cette nuit, il y avait beaucoup de lune, et des
étoiles, ça faisait une lueur douce qui éclairait l'intérieur de la tente. C'était bien, je n'avais pas envie
de parler. Nous sommes restés assis, avec la porte
de la tente ouverte qui battait un peu dans le vent,
à écouter et à regarder. J'entendais mon cœur qui
battait dans ma poitrine, lentement, très lentement. J'entendais aussi sa respiration, un frôle-
ment profond, qui allait et venait avec le
mouvement des vagues. C'était bien, je n'avais pas
envie de bouger. Je voulais que ça dure toujours,
jusqu'au matin. À écouter et à sentir la nuit, la
mer, le vent, l'odeur du sable et des algues, les
coups de mon cœur et la respiration de Monsieur
Kyo, jusqu'à la fin, jusqu'au matin. Je ne voulais
pas dormir. À un moment, Monsieur Kyo est sorti,
il a marché vers les dunes. Je crois qu'il est allé
faire pipi dans les toilettes publiques. Il est revenu,
il avait le visage mouillé par l'eau de mer. Je suis
allée à mon tour jusqu'au bord, j'ai ôté mes chaus-

sures et je suis entrée dans la mer, et lui était à côté. J'hésitais, alors il m'a soulevée et il a marché avec moi dans la mer. J'ai senti la mer qui se réchauffait dans les jambes de mon pantalon, sous mon T-shirt. Lui avait de l'eau jusqu'à la taille. La plage était blafarde sous la lune, mais dans l'eau il y avait beaucoup de poissons transparents qui tournaient autour de nous.

Quand je suis revenue sous la tente, je grelottais de froid. Monsieur Kyo m'a aidée à enlever mes vêtements, et il m'a frictionnée pour me réchauffer. Je me souviens qu'il passait ses mains larges sur mon dos, sur mes épaules. À un moment j'ai eu sommeil, je me suis enveloppée dans un drap de bain, et je me suis allongée tout contre lui, les bras autour de son corps. Je n'ai pas dormi, mais je suis restée sans bouger, les yeux ouverts, sans attendre. Les heures tournaient, la lune s'est cachée dans les nuages, la mer est montée si près de la porte de la tente que je sentais son odeur. Je n'avais jamais rien vécu de tel. J'étais retournée à un autre temps, un temps où ma mère et mon père s'aimaient. Je glissais dans ce temps, portée dans les bras de cet homme. À un moment, je ne sais pourquoi, j'ai tourné mon visage vers lui. Monsieur Kyo était penché sur moi, son visage sombre indistinct. Mais ses yeux brillaient avec force, ses yeux me regardaient, me dévoraient. J'ai tressailli, de peur ou de colère, je ne sais plus, mais lui m'a retenue dans ses bras, et j'ai caché mon

visage pour ne plus le voir. Puis, au matin, je me
suis habillée à la hâte et j'ai couru sans m'arrêter à
travers les champs dans la brume.

Monsieur Kyo est vieux. Il a besoin de moi. J'ai
décidé qu'à partir d'aujourd'hui il serait l'homme
de ma vie. Je sais ce que vous allez dire. Il y a une
telle différence d'âge entre lui et moi que ça rend
cette idée idiote, folle et impossible. Eh bien oui, il
y a cette différence, quarante-cinq ans exactement. Mais quand je dis qu'il sera l'homme de ma
vie, je ne veux pas dire que c'est pour toujours.
Est-ce que quelque chose existe pour toujours ?
Même les arbres n'existent pas pour toujours.
Même les étoiles. C'est notre prof de sciences qui
l'a dit : « Les étoiles que vous voyez dans le ciel
sont si lointaines que certaines d'entre elles sont
mortes et que la lumière qu'elles émettent continuera d'arriver jusqu'à la terre pendant des mil-
lions d'années. » Je sais bien que Monsieur Kyo
mourra. Un jour, en regardant la mer et les
vagues, il m'a fait cette confidence : « June, vous
ne devez pas m'aimer, car je suis un mort en sur-
sis. » Je n'avais pas l'air de comprendre, il a ajouté :
« Je suis mort depuis longtemps, j'ai fait quelque
chose de terrible, et ça ne s'est pas arrangé. Tout
ce que je vois me parle de mort, vous comprenez ? » J'ai dit : « Je ne sais pas pourquoi vous dites
ça, la vie est un cadeau. » Il a dit : « Regardez la
mer. Elle semble vivre, elle bouge, elle est pleine

de poissons et de coquillages, votre maman est
une femme de la mer, elle va y puiser chaque jour,
pour que vous ne mouriez pas de faim. Mais la
mer est aussi un gouffre où tout disparaît, où tout
s'oublie. C'est pourquoi je viens au bord de la mer
chaque jour, pour la regarder, pour ne pas oublier, pour savoir que je dois mourir et disparaître. » J'ai retenu ses paroles. Ce sont les leçons
les plus vraies que j'ai entendues. Personne ne dit
cela à l'école, ni à l'église. Les adultes racontent
sans arrêt des mensonges. Ils prétendent qu'ils
sont sûrs de ce qu'ils disent, mais ils mentent, ils
n'en savent rien. C'est Monsieur Kyo qui dit la vérité. Il ne cherche pas à embellir la vie. Il n'est pas
sucré. Il est amer et fort comme le café. J'ai maintenant le goût du café dans la bouche, cette amertume, et je ne peux plus m'en passer. C'est
Monsieur Kyo qui me l'a donnée, la nuit où j'étais
couchée contre lui sous la tente. Maintenant,
quand je sors de l'école, je ne vais plus à l'épicerie
avec les autres enfants pour acheter des lollipops
ou des bâtons de glace. Je vais au café-pizza qui est
tenu par un jeune qui est gay à ce qu'on raconte,
mais moi je m'en fous, il est gentil et il me sert une
tasse de café noir sans poser de questions. Quand
j'ai dit cela à Monsieur Kyo, il a eu un petit sourire : « Ce n'est pas une boisson pour les enfants ! »
Je lui ai lancé une bourrade : « Mais je ne suis plus
une enfant ! » Je ne lui ai pas annoncé ma décision, qu'il est l'homme de ma vie. Je ne veux pas

brusquer les choses parce qu'il est facilement effarouché. Peut-être qu'il est timide, au fond, peut-être qu'il a peur de ce que peuvent dire les autres. Non, je ne le pense pas. Monsieur Kyo est indifférent aux ragots, aux murmures, à toute cette langue de pute. Il est courageux. D'ailleurs il a été soldat. Ce n'est pas lui qui me l'a dit, mais je m'en doutais un peu. C'est sa façon de se tenir, de marcher. Toujours très droit, et son regard aussi, cette façon qu'il a de brusquement vous fixer, sans ciller, comme s'il cherchait à percer vos pensées, ou qu'il calculait mentalement le sens de vos paroles. Aussi les gens ont peur de lui, ils se méfient. Mon père aussi était soldat, ma mère ne veut pas en parler mais j'en suis sûre. Il était soldat, il a rencontré ma mère et ils sont tombés amoureux. Il ne m'a pas abandonnée, non, il n'a pas pu faire cela, il lui est arrivé quelque chose et il est mort, et le silence s'est refermé sur lui.

La seule personne que fréquente Monsieur Kyo, c'est la pharmacienne, qui est, comme je l'ai déjà mentionné, une de ces femmes qui aiment manger les hommes et les réduire en esclavage, mais elle ne pourra pas le faire avec Monsieur Kyo car j'ai décidé qu'il est à moi.

La pharmacienne a sûrement des avantages (surtout s'il a besoin de médicaments) mais elle ne peut pas s'occuper de Monsieur Kyo aussi bien que moi. D'ailleurs, un après-midi de pluie, nous étions à l'abri dans la tente, sur la plage désertée

par les touristes. Il avait l'air si triste et sombre que
j'ai commencé à lui faire un massage, sans lui demander la permission. Je sais très bien faire les
massages. Depuis que je suis petite, j'ai appris à les
faire sur ma mère. Le soir, quand elle revient de la
pêche, elle a mal partout, elle s'allonge et elle me
dit : « Vas-y, le plus fort que tu peux, là, là et là. »
Monsieur Kyo a été surpris mais il s'est laissé faire.
Il a ôté sa veste noire, et j'ai massé son dos à travers sa chemise. J'étais à genoux au-dessus de lui
et je passais mes doigts le long de ses muscles, de
chaque côté de la colonne vertébrale, et sur sa
nuque, jusqu'à la racine de ses cheveux. Nous
étions à l'abri de la tente, la nuit venait. Je crois
qu'à un moment Monsieur Kyo s'est endormi,
parce qu'il s'est couché sur le côté dans le sable,
et j'ai senti sa respiration devenir plus calme. J'ai
pensé que j'avais pu lui enlever ses idées sombres,
ses idées de mort, les capter dans mes doigts en
massant son cou et son crâne, et ses idées s'étaient
envolées dans le vent et elles s'étaient perdues
dans la mer. La nuit est tombée tout à fait, elle est
venue avec une brume blanche qui divisait le ciel,
la lumière du soleil faisait encore une large tache
à l'horizon. Je regardais la mer et le ciel par la
porte de la tente et je pensais que je pourrais rester toujours avec Monsieur Kyo, que je serais
d'abord sa fille, et plus tard quand j'aurai grandi
je pourrais devenir sa femme. Cette idée m'a plu
même si je ne pouvais pas la lui annoncer tout de

suite. J'ai imaginé réveiller Monsieur Kyo et lui annoncer : « Voilà, Monsieur, j'ai décidé plus tard de me marier avec vous. » Cela m'a fait sourire, tout devenait clair, j'avais mis du temps à le comprendre. Et j'ai continué mes massages, mais plus doucement, pour ne pas le réveiller.

Mais ça ne s'est pas vraiment passé comme ça. Quand il a vu qu'il faisait nuit, Monsieur Kyo s'est levé, il a remis son veston et sa casquette, et il m'a tirée par la main pour qu'on se dépêche de remonter à travers champs vers le village. Il m'a laissée devant chez moi et il est parti, et j'étais furieuse parce que j'étais sûre qu'il n'allait pas à son hôtel, mais qu'il allait retrouver la pute pharmacienne. En plus, quand je suis entrée dans la maison, Brown, l'ami de maman, a dit : « Où est-ce que tu as traîné ? » comme s'il avait le droit de me poser des questions. Il voulait faire l'important parce que maman est arrivée, elle est sortie de sa chambre, elle avait l'air en colère, elle a crié, et moi aussi je criais que je ferais ce qui me plaît, et elle m'a giflée, c'était la première fois. J'avais si honte qu'elle me gifle devant ce bâtard, je suis allée me coucher dans ma chambre, je me suis enroulée dans ma couverture. Ma joue me brûlait mais j'avais décidé que je ne pleurerais plus jamais. Je détestais ma mère, je haïssais son copain avec son air important, lui qui en l'absence de maman ne se gêne pas pour regarder mes seins.

Puis je suis ressortie par la fenêtre, et j'ai

marché dans la nuit. En passant devant la chambre, j'ai entendu ma mère qui parlait, et la voix du bâtard, puis des sanglots, toute la comédie. Et lui qui devait essayer de la consoler, qui caressait ses cheveux, et après ça je sais bien comment ça se termine, ou plutôt j'aimerais mieux ne pas le savoir, les soupirs et les « ahaha-hah » et les « grumph » — ça c'est lui qui le fait avec son nez, comme s'il se mouchait entre ses doigts. Depuis qu'il s'est installé chez nous, j'ai pris l'habitude de marcher dans la nuit sans que ma mère s'en rende compte. Je marche sur les petits sentiers à travers les champs de patates, jamais par la route, parce qu'il peut y avoir des ivrognes, ou bien le policier en patrouille. Je vais jusqu'à la mer. Cette nuit-là était sans lune, le ciel s'ouvrait et se fermait de nuages. J'ai regardé les étoiles dans une anfractuosité de rochers, près de l'endroit où les femmes de la mer se déshabillent. J'ai même trouvé une grève de sable noir, et j'ai creusé une petite vallée pour me mettre à l'abri du vent. J'ai regardé le ciel, j'ai écouté la mer. J'avais le cœur qui battait trop fort, après la scène avec maman. J'attendais que le ciel me calme, il le fait d'habitude. Mais ça a pris beaucoup de temps. Je suivais des yeux les étoiles, elles glissaient en arrière, la terre tombait. Je sentais du vertige. Je pensais que moi aussi je pouvais mourir cette nuit, la marée avalerait

mon corps, on ne retrouverait rien de moi, pas
même une chaussure !

Je pensais à la femme dont Monsieur Kyo parlait, celle qu'il était venu rechercher ici. Il me
semblait que c'était elle qui m'appelait, du fond
de mon rêve. Elle voulait que je la rejoigne sous la
mer. Je pensais aux yeux ouverts de cette grosse
fille blanche, à son regard. J'ai ressenti un frisson
sur moi, un souffle froid, un passage de la mort.
Je n'avais jamais ressenti cela auparavant. Je ne
pouvais plus bouger, j'étais clouée sur le sable
comme Gulliver, par des milliers de fils, des brins
d'algues, des cordages faits avec des cheveux. J'entendais les coups de mon cœur, je sentais le frisson monter depuis la plante de mes pieds jusqu'à
la racine de mes cheveux. « Monsieur, Monsieur,
pourquoi n'êtes-vous pas là ?… Pourquoi ne ré-
pondez-vous pas ? S'il vous plaît… » Je gémissais
ces mots, j'espérais qu'il les entendrait, qu'il appa-
raîtrait au milieu des rochers, habillé de son éternel costume noir.

Le ciel s'est caché, il a plu un peu, je sentais les
gouttes froides qui coulaient de mes cheveux et
mouillaient ma nuque. De la mer montait une
brume épaisse que trouaient à peine les phares
des bateaux à la pêche aux calmars. J'entendais
les voix des pêcheurs sur l'eau, une radio qui
grésillait de la musique. Quelque chose pénétrait
en moi par le sable, par les gouttes de pluie, par

la mer, quelque chose de sombre et triste qui envahissait mon cœur et occupait toutes les parties de mon esprit, et je ne savais pas ce que c'était, quelque chose qui appartenait à un autre, à une autre, une ombre, un souffle, une brume. « S'il vous plaît… s'il vous plaît. » Je geignais, je me tournais sur le sable pour échapper à cette ombre. J'ai crié, à un moment, je m'en souviens. Dans la nuit, un cri de bête, un cri de vache ! « Eueueurh, éé-eueueurh ! » Ça ressemblait bien à mon histoire de l'homme transformé en vache qui erre toutes les nuits dans la lande. Les chiens m'ont répondu en aboyant de leur voix cassée, ils avaient peur, eux aussi. J'ai crié, puis je me suis évanouie. Au petit matin, c'est la vieille Kando qui m'a trouvée. Il paraît que j'étais toute froide et blanche et qu'elle a pensé que j'étais noyée sur la plage. Elle m'a fait boire de sa fiole d'alcool de patate, elle m'a frictionné les paumes des mains et les joues jusqu'à ce que j'ouvre les yeux. Elle m'a parlé, mais je ne comprends pas son dialecte, surtout qu'il lui manque les dents de devant. Les autres femmes de la mer sont arrivées, l'une après l'autre, avec leurs poussettes et leur attirail de plongée. Je crois qu'elles ont parlé de me faire asseoir dans une des poussettes pour me ramener au village, mais j'ai repris mes sens et j'ai dit que j'allais bien, et je suis partie en titubant. Sur le chemin maman avait été prévenue, elle m'a prise par le corps, mais je suis plus grande qu'elle

et on a marché enlacées en amoureuses jusqu'à
la maison. Le bâtard est parti, c'est ce qu'il avait
de mieux à faire. J'ai dormi tout le matin, et
l'après-midi Monsieur Kyo est venu. C'était la
première fois qu'il venait à la maison. Il portait
son complet-veston noir, et ma mère l'a reçu
humblement, comme s'il était un professeur ou
un inspecteur. Il a même laissé sa carte de visite
que ma mère a posée sur la table, plus tard je l'ai
lue, c'était étrange, cela semblait le nom d'une
autre personne :

PHILIP KYO
écrivain-journaliste

Et j'ai pensé que je pourrais m'en servir plus
tard pour me moquer de lui, ou pour jouer au
jeu des déplacements, à vous, à moi.

Ma mère a apporté cérémonieusement du thé
et des gâteaux secs, il a trempé ses lèvres dans le
thé mais il n'a pas touché aux biscuits. Il était
bien tel qu'il est d'habitude, taciturne et poli. Il a
posé des questions à ma mère sur la pêche aux
ormeaux, est-ce que ça l'intéressait vraiment ou
il faisait semblant ? J'aime bien quand les grands
sont gênés, qu'ils ne savent pas quoi dire. Parce
que je savais bien ce que ma mère voulait lui
demander. Quelles étaient ses intentions, qu'est-
ce qu'il voulait faire de moi, est-ce qu'il allait
s'occuper de mon futur ? Etc., toutes ces choses

que les mères demandent pour leur fille, et lui n'avait pas envie de répondre, il n'aurait pas su quoi dire de toute façon, puisqu'il ne sait pas encore que nous devons rester ensemble toute notre vie, et bien sûr il n'est pas mon père, et il est bien trop vieux pour être mon mari.

Tout de même, à un moment ma mère lui a demandé jusqu'à quand il allait rester dans notre île, il a répondu sèchement : « Pas longtemps. Je sens que je ne vais pas durer ici très longtemps. » Il a dit ces mots avec détachement, et c'étaient autant de coups de couteau dans mon cœur, je crois que j'ai pâli, je me suis levée et j'ai couru me cacher dans ma chambre, j'avais honte de ma faiblesse, de ma lâcheté. Et en même temps c'était une trahison, parce qu'il n'y avait pas longtemps Monsieur Kyo avait dit qu'il voulait mourir ici, et tout ça était oublié, ou bien c'étaient juste des mots. Mais je n'ai pas voulu qu'il voie que j'étais touchée, j'ai toujours détesté montrer mes sentiments surtout quand ils sont faibles et lâches. Ma mère est restée un bon moment à parler avec Monsieur Kyo, j'imaginais qu'elle devait lui demander de m'excuser, que j'étais très fatiguée, qu'il ne devait pas s'en offenser. Puis ma mère a ouvert ma porte, elle a dit : « Le professeur s'en va, tu ne veux pas lui dire au revoir ? » Pour ma mère, les gens âgés et élégants sont toujours des professeurs. Je n'ai pas répondu, et avant de partir, Monsieur Kyo a dit : « Ça ne fait rien, ne la dérangez pas. » Comme si tout ça était juste une question de politesse. Ma mère l'a accompagné jusqu'à la sortie, je l'ai entendue dire avec une voix enjouée qui sonnait faux : « Merci, professeur, merci, au revoir. » Et j'ai pensé qu'il lui avait donné de l'argent et que c'est pour ça qu'elle le remerciait avec cette drôle de voix humble, plus aiguë que d'habitude, pas du tout la voix qu'elle avait quand elle m'avait giflée.

Sur le moment je n'ai rien dit, mais un peu plus tard je l'ai regardée droit dans les yeux. « Est-ce qu'il vous a donné de l'argent ? » Au lieu de répondre, elle a fait sa gentille : « Nous avons beaucoup de chance, c'est Dieu qui entend nos prières en t'envoyant le professeur. »

J'ai compris qu'elle faisait allusion au prêche du pasteur David. Il avait raconté dimanche dernier cette histoire de la guerre, quand il ne restait plus rien à manger, et qu'on devait faire une fête, ou bien un mariage, je ne sais plus, et les gens ont prié, et tout à coup on a frappé à la porte de l'église, et c'était le restaurant de poulet grillé qui envoyait cinquante cartons-repas, avec du poulet et des frites et même la sauce au piment et les boîtes de Coca, et chacun a pu manger à sa faim, et comme il en restait on a même pu nourrir aussi les mendiants.

J'ai dit à ma mère : « Il vous a donné combien ? » Elle n'a toujours pas répondu, mais elle m'a dit que je devais suivre son conseil et aller à l'école et ensuite à l'université pour avoir une bonne situation. « Et si moi je veux être pêcheuse d'ormeaux ? » J'étais prête à crier, mais maman a refusé la dispute. J'étais tellement en colère que j'ai pensé que je ne reverrais plus jamais ce Monsieur.

La nuit envahit l'île. Chaque soir, flaque après flaque, crevasse après crevasse. La nuit sort de la mer, sombre et froide, elle se mélange à la tiédeur de la vie. Il me semble que tout a changé, tout s'est chargé d'ombre et d'usure. Je viens chaque jour au bord de la mer, après l'école. Je ne sais pas ce que je cherche. Il me semble que je n'ai plus rien à apprendre des grands. Je sais ce qu'ils vont dire avant même qu'ils aient ouvert la bouche, je lis dans leurs yeux. L'intérêt, seulement l'intérêt. Affaires d'argent, affaires de biens, affaires de sexe, de choses qu'on possède.

Il y a un secret dans la mer, un secret que je ne devrais pas découvrir, mais que je cherche chaque jour davantage. Je vois les traces, dans les rochers noirs, dans le sable, j'entends les voix qui marmonnent. Je me bouche les oreilles pour ne pas les entendre, mais leur murmure entre en moi, emplit mon crâne. Les voix disent : viens, rejoins-nous, rejoins ton monde, c'est le tien désormais. Elles disent, elles répètent inlassablement, vague après vague : qu'est-ce que tu attends ? Les voix parlent aussi avec le vent. La nuit je ne peux pas

dormir. Je sors par la fenêtre, je marche dans la
lande. Il n'y a pas longtemps, je serais morte de
peur. La moindre silhouette, le moindre buisson
m'auraient fait frissonner. Mais à présent je n'ai
plus peur. Quelqu'un d'autre est entré en moi.
Quelqu'un est né dans mon corps. Je ne sais pas
qui, je ne sais pas comment. Petit à petit, sans que
je m'en rende compte. Les autres ne savent pas. À
l'école, Jo continue ses insultes, mais quand je le
regarde il détourne les yeux. J'ai découvert dans
un miroir un éclair vert dans mes iris, une lueur
froide. Les points noirs de mes pupilles nagent
dans une eau glacée. Couleur de la mer d'hiver.
C'est pour cela que Jo a peur de mon regard.
Quand je me regarde dans une glace, mon cœur
se met à battre plus vite et plus fort, parce que ce
ne sont pas *mes* yeux.

Je me sens vieille, je me sens lourde et moche,
je ne sais plus courir comme avant, je ne peux
plus sauter par-dessus les murs des champs. En
plus, avec l'arrivée des règles, j'ai l'impression
que mon ventre a encore gonflé. Je m'assois dans
la cour de l'école, sur un banc, au soleil, et je
regarde les filles et les garçons qui courent
dans tous les sens, qui jouent à se pousser, qui
flirtent dans les coins. Leurs voix sont aiguës. Elles
poussent des cris d'animaux. Moi, ma voix est devenue grave, elle écorche ma gorge. « Qu'est-ce
que tu as ? Tu es malade ? » C'est Andy, le sur-
veillant que j'aime bien pourtant, il est long et

maigre, il ressemble à un oiseau pique-bœuf. Il est arrêté devant moi, son corps mince fait écran au soleil, on dirait un arbuste. Je ne sais pas quoi répondre. Je lui dis, d'une voix désagréable : « Ôtez-vous de mon soleil. »

Quand je retourne à la maison, après l'école, je ne parle à personne. Ma mère me regarde d'un drôle d'air, je ne sais si elle est en colère, ou inquiète. Peut-être qu'elle a peur que je change de sexe ! Monsieur Kyo est venu deux fois, paraît-il. Est-ce qu'il a parlé de mon futur ? J'ai failli demander : « Il t'a donné combien pour ce mois ? »

Les seules que je vais voir encore, ce sont les femmes de la mer. Surtout la vieille Kando. Je marche jusqu'à la cabane, je m'assois sur le ciment mouillé et j'attends que les femmes sortent de la mer. En définitive je crois qu'elles m'ont acceptée, même si je suis une étrangère. Parfois elles me laissent plonger avec elles. J'enfile la combinaison de caoutchouc, un peu vaste au ventre et aux fesses, mais ça va, j'attache la ceinture de plomb, le masque rond sur les yeux et la bouche, et je me glisse dans l'eau froide. Tout de suite je me sens prise par les courants, je glisse vers le fond, avec les femmes. À mains nues je décroche les co-quillages, les étoiles de mer, et je les mets dans un petit sac en filet. Le silence appuie sur mes oreilles, un silence velouté, plein de murmures. Je

regarde les mèches noires des algues qui bougent
dans le ressac, les éclats argentés des bancs de
poissons. Je pense à Monsieur Kyo qui reste des
heures et ne pêche rien, c'est comique. Il devrait
bien essayer, je l'imagine plongeant avec son complet-veston noir, sa casquette et ses souliers vernis !
Je me laisse porter, les bras en croix, les yeux ouverts, sans bouger, sans respirer. J'ai appris à rester
plus d'une minute sans remonter à la surface,
et quand je sors la tête de l'eau, je renverse la tête
en arrière et je pousse mon cri, c'est le mien, personne d'autre ne crie mon cri, *eeeaarh-yaaarh !* Les
vieilles se moquent de moi, elles disent que je crie
comme une vache !

   J'ai arrêté d'aller à l'école. À quoi ça sert ? Tout
ce qu'on y fait, c'est être assise des heures et des
heures, à faire semblant d'écouter et à dormir les
yeux ouverts. Des enfants, ce ne sont que des enfants. Même Jo et tout son cirque, ses airs de méchant, ses petites insultes minables. Un jour, je
sortais de l'école, il m'a jeté un caillou. Je me suis
retournée pour le regarder et il m'a crié : « Toi, la
pute, va voir ton Américain ! » J'ai marché vers lui
et il a eu peur, lui qui est plus haut que moi d'une
tête, lui qui s'amusait à m'arracher les cheveux et
à me courber la tête jusqu'à terre, il a eu peur
d'une fille qui ne lui arrive pas à l'épaule et qui
pèse la moitié de son poids. Il a reculé. Sa vilaine
face de chien exprimait la peur. Alors j'ai compris

que je n'étais plus la même. J'avais maintenant le visage de Monsieur Kyo, le visage qu'il a quand il est en colère, immobile, gris, froid, avec ses yeux qui font deux fentes d'eau verte, ses yeux qui semblent du verre poli par la mer. J'ai marché vers le garçon, et lui s'est enfui enfin, il a déguerpi au tournant de la rue, et c'est ce jour-là que j'ai décidé de ne plus retourner à l'école, et de devenir une femme de la mer.

J'étais fière de cette décision, et surtout d'avoir un nouveau visage, alors je suis revenue droit à la maison, mais ma mère n'était pas là. Il n'y avait que son petit ami, que j'ai regardé avec mes yeux de verre liquide, mais il était à moitié saoul selon son habitude. Il m'a dit : « Qu'est-ce que tu viens faire à midi ? T'as encore séché l'école ? » Je suis passée devant lui, je l'ai même bousculé sans rien dire. Je me sentais plus forte que lui, je pouvais le renvoyer à ses domaines, à ses boulots minables, à ses troquets où il joue aux cartes avec des ivrognes de son espèce. J'ai lancé mes affaires de classe sur le lit, je me suis changée, j'ai mis des habits neufs, un jean noir et un polo noir, j'ai noué mes cheveux en chignon et je suis allée jusqu'à la mer. Maintenant que mon enfance est derrière moi, je peux choisir ce que je veux porter, c'est une tenue citadine, solennelle, une tenue de deuil en quelque sorte. Les gens qui me croisent ne me reconnaissent pas, ils doivent penser que je suis une touriste attardée de la mi-saison, une jeune fille de la capitale, chassée de sa famille comme l'a été ma mère après ma naissance.

À Monsieur Kyo je n'ai rien dit. Je l'ai retrouvé à sa place habituelle, sur le quai. Il n'avait pas son attirail de pêche. Il était habillé avec des vêtements que je ne connaissais pas, un coupe-vent en plastique jaune, un vieux pantalon de toile, mais il avait gardé ses souliers vernis. Je crois qu'il ne sait pas marcher avec des tongs. Il regardait les gens qui débarquaient du ferry, les colonnes de voitures, les scooters. Quand il m'a vue, il a souri, c'était la première fois, son visage s'est éclairé d'un large sourire.

« Je n'étais pas sûr que vous viendriez, a-t-il dit. Je pensais que vous étiez fâchée... Vous n'êtes pas fâchée ? »

Je n'ai pas répondu. De le voir, d'un seul coup les rancœurs remontaient, j'avais la nausée au bord des lèvres. Nous avons marché un moment le long de la côte, jusqu'à la plage où j'avais passé la nuit.

« Pourquoi vous me mentez ? » ai-je dit enfin. Mais je ne savais pas où était le mensonge. Je sentais en lui la trahison, mon cœur en avait mal.

Monsieur Kyo a dit : « Je ne vous mens pas. Si je vous dis que vous êtes jolie, c'est la vérité. »

Il n'écoutait pas. Il se moquait de moi. Est-ce que je lui demandais du sirop ?

« Vous mentez, vous mentez, je le sais. J'espérais que vous étiez mon ami, et vous m'avez menti. »

À un moment, au lieu de me parler, il s'est mis à courir le long de la plage sur le sable durci par la marée basse. Il courait, revenait, repartait en traçant des cercles comme un jeune chien. C'était ridicule, intolérable. « Arrêtez, arrêtez, Monsieur, s'il vous plaît ! » J'ai crié en mettant mes bras en croix pour lui barrer le passage, mais il s'écartait et repartait en riant. J'étais si fatiguée que je me suis assise sur la plage, ou plutôt affalée, à genoux dans le sable, les bras pendant. Alors il s'est arrêté, il s'est agenouillé derrière moi et il m'a entourée de ses bras. « Pourquoi vous pleurez, June ? » Sa bouche était tout contre mon oreille, je sentais son souffle chaud à travers mes cheveux. Des gens marchaient non loin sur le sable, pareils à des oiseaux. Un couple âgé, des enfants. Le bruit de leurs voix me parvenait atténué, irréel. Ils devaient penser que nous étions une grande fille en train de se laisser bercer par son papa.

« Je ne pleure pas », ai-je articulé. J'appuyais sur chaque syllabe. « Je ne pleure plus, il n'y a que les enfants qui pleurent. »

Il m'a regardée sans comprendre. Ou bien peut-être qu'il a compris ce que je voulais dire et qu'il était content de ce changement. Il s'est assis dans le sable à côté de moi et il a commencé une partie de déplacement, comme au début de notre rencontre. Il bougeait une algue séchée,

un caillou noir, un morceau de liège, et il m'a
laissée gagner à son habitude, j'ai placé un os
d'oiseau très blanc et lisse, et c'était sûr qu'il
m'avait laissé le bout d'os pour que je gagne. Pendant quelques secondes je me suis sentie redeve-
nir une fille, une enfant, juste un peu perdue, au
bord des larmes, au bord du rire.

Nous avons couru dans le vent de toutes nos
forces, déjà il faisait froid, l'hiver n'allait pas tar-
der, le long d'une mer mauvaise et d'un vert
laiteux. Dans une crique, nous nous sommes arrêtés, et c'est lui qui m'a fait un massage, mais
pour cela il n'est pas doué, ses mains sont trop
fortes et trop raides, probablement à cause de
son métier de militaire autrefois, où il faut serrer très fort le fusil pour qu'il ne s'échappe pas
quand on tire. « Pourquoi vous habillez-vous de
noir à présent ? » a demandé Monsieur Kyo. J'ai
répondu sans hésiter : « Parce que ça sera bientôt l'hiver, que vous allez partir et qu'il fera
sombre et froid dans le cœur des enfants
tristes. » À cela il n'a rien su rétorquer. Il s'est à
moitié couché dans le sable, un peu à l'écart. Il
a ôté sa casquette et j'ai vu qu'il avait coupé ses
cheveux très ras, à la mode militaire.

C'était assez étrange, parce que Monsieur Kyo
me regardait, et je sentais quelqu'un d'autre.
Comme s'il y avait en lui à cet instant deux personnes, l'une tranquille et forte, que je connais-

sais bien, et l'autre qui était différente, qui me faisait peur, qui me scrutait comme à travers les trous d'un masque. Je frissonnais, je reculais, et lui s'approchait, ses yeux verts brillaient avec une lumière inconnue.

« Pourquoi est-ce que vous me regardez, Monsieur ? »

Il ne répondait pas, et je sentais que je nageais en arrière, que je flottais, comme si j'allais m'évanouir. Mon cœur battait très vite et très fort, je sentais les gouttes de sueur qui coulaient dans mon dos, sur ma poitrine.

« À mon tour, je vais vous raconter une histoire, a-t-il dit. — Est-ce une histoire vraie ? » ai-je demandé. Il a réfléchi : « C'est une histoire rêvée, donc elle a quelque chose de plus vrai que la réalité. »

J'ai attendu. Pendant un instant encore j'ai été une enfant qui ne veut pas grandir, qui se blottit contre une large poitrine d'homme pour se protéger du monde et du vent.

La nuit de l'océan rôdait autour de nous, mais la voix de Monsieur Kyo était légère, elle maintenait l'ombre en cercle, à la manière d'un brouillard que contient le vent.

« Dans mon rêve, j'ai rencontré une femme, la plus belle qu'on pût imaginer. Non seulement elle était belle, mais elle savait chanter avec une voix d'ange. Elle venait du ciel, ou de la mer, elle était descendue sur terre pour connaître les hommes. Elle parcourait les pays, elle chantait partout, dans la rue, sur les places, dans les jardins, et tout le monde s'arrêtait pour l'écouter. C'était devenu son métier.

« Un jour, elle fit la connaissance d'un homme. Cet homme l'aimait, mais pas assez pour l'épouser et il l'a quittée. Elle était inconsolable, et elle a décidé qu'elle ne resterait plus longtemps sur la terre.

« Puis elle a rencontré un autre homme, mais elle ne pouvait plus aimer comme la première fois. Pour le mettre à l'épreuve, elle lui a demandé d'ouvrir son cœur.

« Lui ne voulait pas, il avait peur d'ouvrir son cœur et qu'elle découvre la chose affreuse qu'il contenait.

« Mais un jour, il l'a fait. Il avait un peu trop bu, ou bien il avait oublié qui il était.

« Et quand il a ouvert son cœur, la femme a été effrayée. Ce cœur était noir, rongé par les vers, déjà mort.

« Alors la femme de la mer n'a plus voulu chanter. Elle est restée à regarder la mer sans parler, et un jour, la tempête est arrivée, le vent soufflait et l'écume des vagues courait jusqu'en haut de la falaise.

« L'homme a emmené son amie à l'abri dans sa maison, et ils sont restés éveillés une partie de la nuit, mais à la fin l'homme s'est endormi. Au matin, quand il s'est réveillé, il a constaté qu'il était seul dans la maison.

« Dehors la tempête était calmée, il a appelé, appelé, sans réponse.

« Au bord de la mer, il a vu les habits de son amie, pliés soigneusement. Il a attendu tout le jour, toute la nuit, et le lendemain encore. Mais la femme n'est jamais revenue.

« Elle était retournée dans la mer sans fin.

— C'est une histoire triste, ai-je dit. Est-ce que c'est votre histoire ? » Monsieur Kyo n'a pas répondu. « C'est juste un rêve, a-t-il dit enfin. Tous les rêves sont tristes.

— Croyez-vous que la mer mange les humains ? » Je n'étais même pas sûre que ma question avait un sens. Monsieur Kyo a hésité, puis : « C'est ce que je croyais autrefois. C'est pour ça que je suis venu ici, pour en être sûr.

— Et maintenant vous le savez ?

— Non, a dit Monsieur Kyo. Je n'ai rien appris. Mais je crois qu'il vaut mieux oublier. Je crois que les souvenirs ne doivent pas nous empêcher de vivre. »

Ce qu'il m'a dit m'a paru insupportable. Ma gorge se serrait, je sentais des gouttes de sueur sur mon dos, dans mes cheveux. J'étouffais.

« Est-ce que ça veut dire... »

Je n'arrivais plus à prononcer les mots.

« Est-ce que ça veut dire que vous allez partir pour toujours ? »

Monsieur Kyo a eu un petit sourire satisfait. « Je ne sais pas… J'ai pris goût à vivre ici. »

Il a prétendu que c'était une question de politesse, et moi je hais la politesse.

« Si je pars, beaucoup de choses vont me manquer. Vous, June. Ce n'est pas tous les jours qu'un homme rencontre quelqu'un comme vous. » Il a ajouté, pour me faire encore plus mal : « Qui d'autre m'apprendra à pêcher ? »

Il s'est levé, il a marché vers le village. Il n'était plus du tout raide et guindé. Il a mis les mains dans les poches de son coupe-vent jaune. Peut-être même qu'il sifflotait. Il s'est retourné à moitié. « Alors, vous venez ? »

J'étais assise dans le sable humide. Il commençait à pleuvoir. Je sentais les gouttes froides qui picoraient mon visage. De la mer montait une odeur âcre, violente. J'ai répondu d'une voix étouffée : « Non, je reste encore un peu. » Il n'a pas répondu. Ou bien il a haussé les épaules, l'air de quelqu'un qui vraiment s'en fiche. Ou bien il a dit au revoir et le vent a mangé ses mots.

J'aime les femmes. J'aime leur corps, leur peau, l'odeur de leur peau, l'odeur de leurs cheveux. Pendant les années en taule, j'en ai rêvé à chaque moment. Je ne pouvais pas croire que ce soit fini, que la honte ferait de moi un paria, un homme condamné à vivre sans femme. Une nuit de violence à Hué. Les soldats emportaient tout ce qu'ils trouvaient, les statuettes des autels, la vaisselle, les robes brodées, les pendules, même de vieilles photos sépia dans leurs cadres, des livres de prière pliés en accordéon. Des liasses d'argent, des sacs de sous de bronze. Je suis entré dans la maison, une demeure bourgeoise construite du temps des Français, hauts plafonds, cour carrée décorée d'un bassin d'eau verte où flottaient des feuilles de nénuphar. Les soldats étaient entrés avant moi. Je ne les connaissais pas. J'étais un franc-tireur pour United Press, je cherchais à faire des clichés. J'avais déjà photographié des marines qui partaient en emportant des postes de radio ou des pendules. Les soldats n'ont pas fait attention à moi, ils ne m'ont même pas regardé. Ils cherchaient quelque chose, non pas un objet à piller, mais une femme qui s'était cachée dans la maison. Ils l'ont trouvée dans une pièce vide, l'ancienne buanderie sans doute, parce qu'il y avait un évier en pierre accroché au mur. Je me suis arrêté sur le pas de la porte, j'ai attendu que mes yeux s'habituent à la pénombre, et je l'ai vue. Elle était accroupie, le dos au mur, ses yeux brillaient, elle avait croisé ses bras autour de ses genoux, comme si elle attendait. Dans l'étroite pièce nue, il régnait une chaleur lourde, humide. J'ai vu les marques de moisissure sur les murs, les emplacements des meubles qui avaient été arrachés, les traces des rideaux. Les toiles d'araignées faisaient des étoiles grises au plafond. La lampe avait été arrachée, et les fils électriques pendouillaient. Il n'y avait plus qu'elle, cette femme que la peur rendait sans âge, ses cheveux noirs noués en un chignon hâtif qui s'était défait sur le côté. Les dos des soldats étaient larges, j'ai dû me déplacer, mettre un pied dans la chambre pour apercevoir le visage de cette femme, voir ses yeux, une seule fois je crois qu'elle m'a regardé, je le jure, elle n'a pas supplié, elle n'a pas crié ni imploré, seulement son regard qui a croisé le mien, un regard déjà vide, lointain, sans expression, simples billes noires dans le blanc des sclérotiques. Puis son regard a basculé. Dans la chambre est montée une odeur acide, une odeur de sueur et de peur, une odeur de violence.

J'étais venu ici, dans cette île, pour mourir. Une île est un endroit rêvé pour mourir. Une île, ou une ville. Mais je n'avais pas trouvé la ville. Toutes les villes étaient pour moi des extensions de la prison, avec leurs rues en corridors, leurs lampadaires jaunes, leurs places à miradors, les immeubles aux fenêtres fermées, les jardins étiques, les bancs de ciment où somnolent les vagabonds. Avec Mary, j'ai voyagé, j'ai réappris à vivre. Elle chantait, et elle buvait. Elle était une embellie. Son corps, son visage, sa voix. Pour moi elle chantait les hymnes de son enfance, et quand elle chantait, elle redevenait cette enfant, même si le pasteur la touchait, un artiste et un beau salopard, qu'elle a fui en quittant sa famille. Pour moi elle chantait, elle se tenait debout devant moi, éclairée par la lampe de la chambre, et j'écoutais sans bouger. Puis un jour elle est partie. Elle est entrée dans la mer et elle n'est jamais revenue.

L'île était un bon endroit pour mourir. Je l'ai su dès que nous étions arrivés. Mary voulait voir les tombeaux en haut des collines, de simples monticules ronds pareils à des taupinières. Un après-midi, nous avons été environnés de corbeaux. Par milliers, ils tournoyaient dans le ciel blanc, puis ils s'abattaient sur le cimetière. Mary les regardait avec une fascination horrifiée. « Ce sont les âmes des morts sans sépulture », a-t-elle dit. J'ai essayé de lui expliquer qu'ils avaient choisi cet endroit pour être tranquilles, mais elle ne m'écoutait pas. Elle parlait des injusticiés, tous ceux, toutes celles qui avaient été abusés, détruits. Elle était attirée par la mort. Était-ce elle, ou moi, qui avait choisi le refuge de cette île ? Dès qu'elle l'a vue, du pont du bateau, longue langue de terre terminée par un morne noir, elle a serré ma main. « C'est ici, c'est l'endroit que j'attendais. » Je n'ai pas compris ce qu'elle voulait dire, mais par la suite, c'est devenu évident. Elle cherchait un lieu au bout du monde, un rocher, une épave, pour consumer son désespoir. Elle avait besoin de cette île, non pas de moi, pour accomplir sa destinée, la destinée qu'elle avait imaginée. Que j'aie été un criminel et un pilleur d'images, condamné à la prison pour complicité de viol, pour elle ne changeait rien. Elle l'a dit un jour, en riant. Ses yeux étaient pleins d'ombre, sans doute avait-elle commencé à me haïr : « Toi, le tourmenteur. » Je ne lui avais pas parlé de ce que j'avais vu, les séances de noyades sur les prisonniers, les piqûres de penthotal, les électrochocs. Mais elle l'a deviné, sans doute les victimes savent-elles identifier les bourreaux.

J'aime le corps des femmes. En touchant la peau tiède, souple, en frôlant les boutons des seins, en goûtant du bout de la langue les sensa-

tions secrètes, interdites, indescriptibles, je sens
la force renaître en moi, dans mes muscles, pas
seulement dans mon sexe mais dans tout mon
corps, dans mon cerveau, et jusqu'à cette glande,
ce nœud, dont je ne sais pas le nom, qui est à
l'occiput, à l'endroit où la colonne vertébrale
rencontre le crâne. Sans ce désir je ne suis rien.
Ma vie, mes écrits, les années de taule ne m'ont
rien enseigné. Mais une nuit, une seule nuit près
du corps d'une femme me donne mille ans ! Ici,
dans cette île, un lieu proche de la mort, j'ai ressenti mieux qu'ailleurs la force du désir.

J'étais venu pour mourir, peut-être. Je ne sais
plus. Pour trouver le lieu de passage vers le néant,
et c'est la vie qui me reprend. À mon âge, je n'y
croyais plus. Je n'espérais plus de miracle.

Pourtant, chaque nuit, tandis que le vent
souffle et que la tempête siffle par les interstices
des portes et des fenêtres, j'écarte le rideau blanc
et je découvre le corps de la femme, nue dans la
pénombre. Je me couche à côté d'elle, sur le
matelas posé à même le sol, au milieu des flacons
d'huile camphrée et d'herbes aromatiques, je
regarde sa peau éclairée par la loupiote qu'elle
allume pour me dire qu'elle m'attend. Je ne sais
pas son nom. Elle me l'a dit le premier jour et
puis je l'ai oublié. Pour elle j'ai inventé un nom.
Elle ne sait rien de moi et je ne sais rien d'elle. Je
sais qu'elle est mariée, qu'elle a eu des enfants.
Je l'ai compris la première fois que je l'ai vue, à

la façon qu'elle a eu de bander le genou de June. Les gestes lents, maternels, le gentil sourire. Ça m'est égal, ce n'est pas cela que je suis venu chercher. Nous ne nous parlons pour ainsi dire pas. Nous faisons l'amour, plusieurs fois, dans toutes les positions. Je me repose ensuite à côté d'elle, j'écoute le bruit du vent sur le toit de tôle ondulée. Je dors un peu, puis je me lève sans faire de bruit et je retourne à mon hôtel. Un jour, un jour de plus…

J'ai vu ce que je ne devais pas voir. Dimanche, vers la nuit, je suis revenue de la mer. Le ciel était bas, le temps à grains, avec bourrasques, mer formée, les femmes de la mer n'étaient pas à la pêche, les touristes étaient partis tôt par le ferry de l'après-midi. Sur le môle j'ai rôdé dans l'espoir de voir Monsieur Kyo une dernière fois, dans son nouveau ciré jaune canari. Les employés du port étaient dans la buvette, ils vidaient des bouteilles de bière en fumant, les vitres étaient enduites d'une buée grasse. Les chiens dormaient le nez dans leur ventre, perchés sur des tas de caisses pour ne pas sentir l'humidité du sol. Au village les magasins étaient fermés, même le *pizza parlor*, avec un écriteau sur sa porte qui disait : je reviens dans une heure, mais c'était sûr qu'il n'ouvrirait pas avant demain. Ça m'a contrariée, parce que je ne pouvais pas boire un café, les troquets du port ne m'auraient pas servie. De plus les clients se seraient moqués de moi, ils aiment bien être entre hommes, ils n'accepteraient jamais une gamine qui les regarderait quand ils sont saouls. Je ne pouvais pas non plus aller à la maison, parce que c'est le jour où maman reste à regarder la télé avec son *boyfriend*, les jeux, ou des *telenovelas* sirupeuses. Alors je ne sais pourquoi, je suis allée du côté de la pharmacie. Mes pas m'ont conduite là sans que je m'en rende compte, je crois que c'était instinctif, comme si je suivais une pente.

La boutique était fermée, le rideau blanc s'agitait dans le vent contre la porte, mais j'ai vu une lueur dans l'arrière-boutique et je suis passée par-derrière, j'ai marché sans faire de bruit jusqu'à la fenêtre. J'ai entendu un bruit de voix, de petits chuchotis, j'ai essayé de comprendre qui parlait. Entre les lattes du store, j'ai vu la lampe qui tressautait, non pas une ampoule électrique, mais une lumière jaune dans le genre des bougies. C'est là que la pharmacienne entrepose ses cartons de médicaments, ses shampooings, ses lotions. La porte tempête n'était pas fermée, c'est une porte grillagée pour empêcher les insectes d'entrer en été quand il fait chaud. Elle s'est ouverte en grinçant un peu, mais le grincement était couvert par le bruit du vent sur le toit de tôle. J'avais l'impression de commettre un délit, et j'osais à peine bouger. Je n'ai pas essayé d'ouvrir la deuxième porte. C'était derrière cette porte qu'il y avait ce bruit de voix, et la bougie allumée.

Je suis restée un moment immobile, l'oreille

contre la porte, sans savoir ce que j'allais faire.
Partir, retourner dans la nuit et la pluie. Mon
cœur galopait, je sentais un nœud se serrer dans
mon ventre. Il y avait longtemps que ça ne
m'était pas arrivé, depuis que j'étais toute petite
et que j'attendais que maman revienne de la
pêche. C'était ce temps de pluie et de vent, ce
bruit d'eau qui coule dehors, alors j'imaginais les
monstres de la mer qui tiraient maman par les
cheveux pour l'entraîner au fond. J'étais ici,
dans un sas, un endroit où je ne devais pas entrer, écoutant les bruits de l'autre côté de la
porte, c'étaient bien des soupirs et de petits cris,
de petits ris, pas la télé, non, mais bien la réalité.
Je me suis agenouillée et j'ai collé mon œil sur le
trou de la serrure. Je n'ai pas distingué tout de
suite, parce que quand vous regardez par un
trou aussi petit, vous êtes ébloui, et les bords du
trou se déplacent comme une paupière d'oiseau,
de côté, de bas en haut. L'intérieur de l'appentis
était éclairé par une bougie posée dans une assiette. Dans la lumière tremblante j'ai vu une
chose étrange, je n'ai pas compris tout de suite
même si j'ai su aussitôt que c'étaient Monsieur
Kyo et la pharmacienne. J'ai voulu me reculer,
m'en aller, mais c'était plus fort que moi, mon
œil restait collé au trou de la serrure et je regardais. Monsieur Kyo, je ne l'ai pas vraiment reconnu, parce qu'il était couché sur le dos, les jambes
allongées, et c'était la première fois que je voyais

ses jambes, épaisses, musclées, la peau sombre couverte de poils frisés, et ses pieds qui paraissaient très grands, la plante rose, et les orteils bien écartés. Au-dessus de lui la salope était entièrement nue, couchée sur le dos elle aussi, elle formait avec les jambes de Monsieur Kyo un angle droit. Seulement elle avait posé ses pieds sur le sol et son corps était arc-bouté, sa tête renversée en arrière, ses cheveux bruns étalés sur le carrelage, ses bras maigres en croix, et je voyais la peau blanche de son ventre et de ses hanches, les cercles de ses côtes, les seins lourds un peu écartés, et son long cou avec une pomme d'Adam un peu apparente, comme un homme, mais son sexe était celui d'une femme, bombé, avec une touffe de poils noirs dressés en crête de coq ! Je voyais tout cela avec netteté, malgré la pénombre, je remarquais chaque détail, chaque ombre, chaque repli de peau. Je ne voyais plus personne de connu, juste un homme avec une femme. Ensemble ils ressemblaient à un animal qui n'existe pas sur terre, une sorte de crabe-araignée à huit pattes, blanc et noir, en partie velu, presque sans tête, qui bougeait lentement, lentement, sur place, sans avancer, en tournant sur lui-même, en glissant et en tournant, les pieds appuyés sur le carrelage, les bras écartés, respirant, chuchotant, respirant, soupirant… Et moi je recollais mon œil au trou de la serrure ! Et la bête continuait de bouger, lente et molle, je voyais sa chair

trembler le long des cuisses, et le ventre se gon-
fler et se dégonfler, percé d'un trou noir qui
s'ouvrait et se plissait, et la poitrine se renverser,
le cou se tendre avec le va-et-vient de la pomme
d'Adam, et elle geignait un peu, et elle marmon-
nait avec une voix grave, double voix, mais ce
n'étaient pas des mots qu'elle disait, seulement
des grognements, des raclements, un bruit de
bête qui respire, un bruit de vache dans la nuit,
un bruit de chien qui court, un bruit de coquille
qui se ferme à marée basse, un bruit de mort
quand le couteau s'enfonce dans la tête du poisson. Et mon œil se collait davantage au trou de la
serrure ! Et je ne comprenais plus ce que je
voyais ! Qui étaient ces gens, à qui étaient ces
jambes, à qui ces bras, à qui ces cheveux noirs qui
traînaient sur le carrelage, à qui ces voix, ces soupirs, ces chuchotements ? À qui ? Je ne sais pas
comment je suis partie. À reculons, à quatre
pattes, éblouie par la lumière de la bougie qui
forçait son flux d'images à travers le trou de la
serrure. Pendant quelques secondes j'ai marché
dans les rues venteuses, les bras écartés, complètement aveugle.

Dans l'anfractuosité des rochers, je me souviens, c'est là que j'attendais ma mère, quand elle a décidé d'être une femme de la mer. Le vent souffle au-dessus de ma tête, les vagues cognent contre les récifs, je les vois à peine dans le jour qui se lève. Ourlets gris qui avancent en paix, j'ai pensé souvent à des bêtes lourdes, à des troupeaux de vaches marchant au même pas, et quand les rochers aigus fauchent leurs jambes, elles s'écroulent en mugissant, en écumant. Ma mère avait choisi ce coin parce qu'il était peu fréquenté, et comme elle était nouvelle dans la profession elle n'osait pas plonger dans les coins plus calmes, à la baie du nord, ou près du môle. C'est ici qu'elle a aperçu les dauphins pour la première fois, des ombres qui la frôlaient, qui tâtaient les algues du fond avec leur nez large pendant qu'elle soulevait les pierres pour dénicher les ormeaux. Elle prétend même qu'un dauphin l'a accompagnée au début, pour lui montrer les cachettes des précieux coquillages. Puis, quand elle a décidé de pêcher avec les autres, elle ne l'a plus jamais revu.

La tempête s'est installée durablement. Le vent souffle sans faiblir de l'est, apporte les nuages, les écarte, les reprend, d'autres se lèvent au-dessus de l'horizon. Les femmes de la mer se sont mises en repos en attendant l'embellie. À la radio, on parle d'un ouragan, un monstre qui peut avaler la terre et les îles. J'ai rêvé que c'était la fin du monde. Tout disparaîtrait, il ne resterait que ma mère et moi, nous flotterions sur un radeau de bois, une grande porte arrachée quelque part, à la recherche d'une île nouvelle. Dans mon rêve, ce ne serait pas cette île noire où nous vivons, mais une plage de sable blanc bordée de cocos, où le ciel serait doux et sans nuages. Mais bien sûr un tel endroit n'existe pas.

Il paraît que Monsieur Philip Kyo a quitté *Happy Day*, je ne l'ai pas revu. Il est passé pour me dire au revoir, il a juste laissé une lettre, où il dit qu'il me souhaite bonne chance dans ma vie. J'ai lu la lettre et je l'ai mise en boulette et je l'ai jetée. Que signifient les mots quand on ne se reverra jamais ? Je hais les politesses et les bonnes manières. Je hais les discours politiques et les leçons de morale. À l'église, le pasteur David a lu l'histoire de Jonas, sans doute a-t-il pensé que c'était bien le moment, avec l'ouragan qui s'approche.

Même si je n'y crois plus, j'ai bien aimé certains passages, portés par sa belle voix grave :

> *Dans ma détresse j'ai invoqué l'Éternel*
> *et il m'a exaucé.*
> *Depuis le séjour des morts j'ai crié*
> *et tu as entendu ma voix.*
> *Tu m'as jeté dans l'abîme, au sein de la mer,*
> *et les courants marins m'ont entouré.*
> *Toutes les vagues ont passé sur moi.*

Quand le jour est installé, je m'habille lentement pour la plongée. J'enlève mon jean et mon pull, mes sneakers, je range tout proprement dans un coin à peu près sec, sous un pan de rocher, et je pose un caillou par-dessus pour que le vent n'emporte rien. J'enfile la combinaison de caoutchouc noir, elle balle un peu aux épaules et sur le ventre, mais je suis plus grande que maman, les bras et les jambes s'appliquent bien à ma peau. Tout de suite je sens la chaleur de mon sang qui circule à l'intérieur de la combinaison, ça me donne l'énergie pour continuer. J'attache la ceinture de plomb. Les chaussures de maman sont trop petites, je préfère rester pieds nus, même si les rochers au bord de l'eau sont coupants. Je mets le masque sur mon visage. Pas besoin de bonnet. De toute façon, j'ai trop de cheveux, et j'aime bien l'idée qu'ils flottent autour de moi comme des algues.

J'entre dans la mer, et tout de suite je suis prise par les vagues. Mes pieds décollent des rochers gluants, je glisse à la surface de l'eau, dans la direction du soleil levant. Je sens une onde de bonheur, je vais partir, je vais au bout du monde. Je vais rejoindre la femme dont parlait Monsieur Kyo, je suis sûre qu'elle m'attend, qu'elle me reconnaîtra. Les vagues sont lentes et puissantes, je dois plonger pour franchir l'endroit où elles se cassent contre la falaise. Mais la mer est légère, infusée d'étoiles, elle coule et m'emporte dans un courant violent, elle lisse mon corps noir, elle lisse mon visage et mes cheveux, elle m'entoure de sa présence amie. Elle n'est pas douce, elle est amère et âcre, elle ouvre et ferme ses vallées sombres, les secrets, les douleurs. Je voudrais voir enfin la jeune fille de mon rêve, si grosse, si blanche, couchée au fond sur un tapis d'algues, sentir sur moi son regard transparent, son regard d'eau bleue. Les nuages de pluie passent au ras de la mer, jetant des poignées de gouttes, je renverse le visage et j'ouvre la bouche pour boire l'eau douce, je flotte un instant, je suis un morceau de bois ballotté par les vagues. La ceinture de plomb me tire vers la profondeur, je descends lentement vers les fonds d'herbes qu'agite le vent sous-marin. La lumière du soleil emplit peu à peu la mer, éclaire des objets brillants comme l'or, des roches blanches, des coraux. Je tourne sur moi-même, les bras en croix, je vole sous le ciel cassé de la surface de la mer.

Une ombre passe, une ombre pâle, et mon cœur tressaille de joie car j'ai reconnu le dauphin dont parlent les femmes de la mer, le dauphin de Kando. C'est le même qui a accueilli ma mère il y a très longtemps, quand elle est arrivée dans cette île. Il s'approche, il glisse et pivote et tournoie, son œil me regarde, une bille brillante au centre de ses paupières froissées. Malgré moi je sens du plaisir parce que d'un seul coup j'ai la réponse à la question que j'ai posée à la vieille Kando : noire est la couleur de son œil. Le dauphin passe juste derrière moi. Il s'arrête, il nage sur place, son museau tourné vers le ciel. Son corps est à l'oblique, à la lumière. Il m'attend. Il veut me montrer, à moi aussi, la cachette des ormeaux au milieu des pierres. Quand je remonte à la surface pour respirer, il est là, à côté de moi, il jette son souffle pressé, et moi, je crie, je lance mon nom dans la langue des femmes de la mer, dans la langue des dauphins, *eeeaarh-yaaarh !* je n'aurai jamais d'autre nom maintenant. Le jour est tout à fait levé, les rideaux de pluie se sont écartés sous le soleil, l'écume brille le long de la côte, l'île est lointaine, pareille à un grand navire noir, je sais que je n'y retournerai pas, je sais que je ne reverrai plus jamais tous ces gens, ces minuscules êtres du village, de l'école, des cafés, ces gens faibles, ces bêtes au corps mou qui s'accouplent dans les arrière-boutiques, je regrette ma mère, mais je dois partir, elle comprendra, elle ne cessera pas de m'aimer.

Je m'en vais loin, profond, je vais retrouver la jeune fille étendue au fond de l'eau, je vais retrouver ses yeux ouverts, je vais rejoindre toutes celles qui ont disparu, toutes celles qui ont été abandonnées. Je vais plonger, j'ai fermé ma respiration, je descends lentement entraînée par le poids de ma ceinture, je vois les fonds multicolores, les algues vertes, brunes, rouges, longs rubans qui ondulent, les étoiles de mer qui luisent dans le sable noir, les poissons zébrés, les calmars transparents. Je vais m'endormir pour toujours, les yeux ouverts sur la mort. Je vais changer, je vais devenir une noyée, une autre, Philip Kyo le veut, il m'a donné son passé, il a rempli mon cœur de désir et d'amertume, il s'est libéré en moi, il m'a remplie de sa destinée. Et je descends vers le fond, la tête renversée, dans la lumière blanche du jour, dans le silence plein de murmures. J'ouvre mes bras en croix, j'ouvre mes paumes, je glisse à l'envers. Et je sens une peau contre moi, une peau tendre et grise, tiède, familière, qui m'enveloppe et me porte en elle, une peau très douce, très puissante, un corps lisse qui m'embrasse et me conduit vers le jour, vers la lumière du soleil, et lorsque je sors de la mer, j'entends son cri, rauque, aigu, le cri de ma mère, et à mon tour je renverse la tête et je pousse un cri, j'ouvre ma gorge, je vomis l'eau de mer et je crie mon nom, mon seul nom. *Eeeaarh-yaaarh !*

« Mon ami s'en va. » Elle ne crie pas, elle ne fait pas de scène. Elle est simplement assise par terre, dans l'arrière-boutique ou nous avons fait l'amour.

C'est le soir. Les autres nuits, tout commençait autour de cette heure, quand le ciel est encore clair et que l'ombre sort des abris et se répand dans les maisons. Je n'ai pas eu besoin de lui expliquer, elle est déjà au courant. C'est l'avantage d'être sur une île, tout se sait très vite.

Elle n'a pas allumé ses bougies parfumées. Juste l'ampoule électrique nue qui pend au bout de son fil, où les papillons de nuit se cognent et se brûlent. Nous ne nous parlons pas. Qu'est-ce que nous pourrions dire ? D'ailleurs, nous n'avons jamais vraiment parlé. Juste des petits mots, des mots pour rire, des mots sucrés pour se caresser, des mots pour explorer nos vices peut-être. Ou bien des petits cris, des petits grognements, des souffles et des coups de langue. C'est comme si elle n'avait pas de nom. Puisque nous n'avons pas de nom l'un pour l'autre, est-ce que ça veut dire que nous n'existions pas ? La fille de Hué n'avait pas de nom, elle non plus. Les soldats qui la violaient n'étaient pas des hommes, juste des machines de guerre. Je regarde cette femme, assise sur ses talons dans la petite pièce encombrée de cartons, il me semble que je suis trente ans en arrière, sur le seuil de cette pièce sombre où se préparait un crime.

Je ne peux pas m'asseoir avec elle. Je ne peux pas faire autre chose que rester debout, à la regarder, et elle ne me regarde pas, elle a tourné la tête vers le mur. La vie est amère. La vie n'a pas de générosité, sauf parfois, par miracle, quand tu rencontres quelqu'un que tu n'étais pas préparé à rencontrer, un ange, une messagère du paradis, une familiarité avec Dieu.

Elle, ici, dans son antre de pharmacienne, avec ses bocaux et ses shampooings, elle n'est messagère pour rien ni pour personne, elle ne connaît pas le paradis. Elle n'a jamais nagé en pleine mer pour rencontrer un dauphin, elle n'a jamais traversé le bras de mer à la nage. Elle est une femme comme toutes les femmes, ni meilleure ni pire. Elle est un corps, j'ai bien aimé sa peau, l'odeur de sa peau, quelque chose d'âcre et de pressant, quand le désir montait en elle, que j'écoutais sa respiration devenir rapide, le feulement dans sa gorge, les coups de son cœur dans les artères de son cou, la sueur qui nous collait l'un à l'autre et faisait un bruit de succion au moment où nous nous séparions. Puisque je dois partir, je m'arrache à son corps, je me retire, et je sens le vide qui envahit la petite chambre, le vide, le froid, mais toute autre sensation ne peut être qu'illusoire. Rien n'empêche la mort, le crime, la solitude. Je m'en vais.

Elle s'est nouée à ma jambe gauche. Je suis debout, à demi tourné vers la porte, et elle a embrassé ma jambe, un geste d'enfant qui m'immobilise un instant. Elle ne parle pas. Je vois sa chevelure noire où brillent des fils d'argent, ses épaules, ses jambes sur le côté, un peu épaisses, mais aux genoux bien arrondis. Je me penche en avant, je dénoue ses mains, doigt par doigt, comme on déferait une corde. Je lui parle doucement, mais je n'explique rien, inutile, puisqu'elle sait ce que je suis venu lui dire. C'est la fin de ma vie ici, de notre vie la nuit dans sa boutique, pour elle le temps continuera, sans moi, sans souvenirs, à quoi bon ? Elle appartient à l'île, elle est de ces pierres et de ces champs de patates douces, elle est de ce peuple de pêcheuses d'ormeaux, même les cormorans ont plus d'importance pour elle. Ses mains glissent en arrière, elle s'est assise, elle tourne le dos à la porte quand je sors de la chambre et que j'entre dans la nuit noire.

Du pont du ferry je regarde le rivage de l'île
qui s'éloigne. La nuit tombe déjà, la nuit d'hiver,
entre tempête et calme ennui. Quand suis-je
arrivé sur l'île ? Il y a trente ans, tout était différent. Je croyais renaître. Mais rien n'a pu être
sauvé.

Le patron du *Happy Day* ne m'a guère laissé le
choix : « Partez maintenant, ou bien la police
s'occupera de vous. » Il paraît qu'ici on met en
prison les adultères. Mais je comprends bien que
ce n'est pas la raison de mon expulsion. Peu à
peu les pièces se sont mises en place. Je n'y ai pas
pris garde, mais le passé est remonté à la surface,
personne n'avait oublié. Le procès en cour mar-
tiale, la prison, l'errance. Mary, et puis maintenant June, l'enfant pervertie. Il paraît que je suis
maudit.

J'ai voulu revoir June avant mon départ. J'ai
appris par les femmes de la mer qui vendent leurs
coquillages au restaurant de l'hôtel que la petite
a failli se noyer. Elle a été sauvée de justesse par
les pêcheuses, alertées par la mère de June.
Quand elles l'ont tirée sur le rivage, elle avait
cessé de respirer, mais la mère de June a fait les
gestes nécessaires, elle a soufflé dans sa bouche,
et June est revenue à la vie.

Quand je me suis présenté chez elle, j'ai trouvé
porte close. J'ai frappé, et au bout d'un moment
la voix de la mère de June a répondu à travers la

porte : « Partez. Monsieur, partez s'il vous plaît. »
Je n'ai pas insisté. Dans la rue, j'ai croisé ce drôle
de type qui vit chez la mère de June, je ne sais pas
son nom, il m'a regardé de ses yeux de chien de
merde, puis il a fait un détour. La tempête, en
passant sur l'île, m'a vidé de toute ma rancœur.
Je me sens léger. En préparant mon sac, je me
suis même surpris à siffloter. Un air que Mary
chantait, du temps où elle faisait sa tournée des
bars à Bangkok.

   J'ai écrit une lettre à June, sur un cahier d'éco-
lier. Je voulais lui dire tout ce qu'elle m'a donné,
tout ce qu'elle m'a appris. Je voulais lui dire aussi
que l'amertume est un don précieux, qui donne
du goût à la vie. Mais je n'étais pas sûr qu'elle
comprenne, et d'ailleurs je ne voyais pas comment je pouvais lui faire parvenir le cahier, je l'ai
gardé avec moi. Un jour peut-être je trouverai le
moyen de le lui donner. Dans un autre lieu. Dans
une autre vie.

   Je n'ai salué personne. J'ai réglé ma note à
l'hôtel, le proprio a empoché les billets après les
avoir comptés avec la dextérité d'un joueur de
poker. Puis il a fermé la porte de son appartement, et il est retourné regarder son match de
base-ball à la télé.

   « *Oh happy days, oh happy days…* » je crois que
c'est ce que j'ai chantonné dans ma tête en marchant sous le crachin vers le môle. Contre toute
vraisemblance, j'ai imaginé un instant que June

m'attendait sur l'embarcadère. J'ai cru reconnaître sa silhouette parmi les passagers qui faisaient la queue devant la coupée. Mais quand je
me suis approché, j'ai vu, au lieu d'une enfant
aux cheveux dénoués, une petite vieille rou-
geaude et grassouillette qui m'a souri de sa
bouche édentée.

Je pars sans regret. Je n'emporte pas ma canne
ni mon attirail de pêcheur du dimanche. Je n'en
aurai plus besoin. Je n'aurai plus jamais à trom-
per l'ennui du monde, je suis libre. Sans doute
plus très jeune, plus très vaillant, mais prêt à
prendre une place, n'importe quelle place. Tout
est dans le jeu des déplacements. Tu bouges un
caillou, l'adversaire propose un brin d'algue,
une plume de cormoran, une écaille d'huître. Et
tu as trouvé d'un coup, d'un seul, la pierre noire,
lisse, nue, lourde, qui te donne la victoire.

Je suis convalescente. C'est du moins ce qu'a dit le docteur, après avoir constaté que ma fièvre était tombée. Trente-huit deux ce matin. Les douleurs dans ma tête s'estompent, et le goût âcre dans ma bouche devient plus familier. Un peu le goût du café noir, que je réclame, et ma mère n'a plus d'objection. Il paraît que je suis grande maintenant. Les saignements ont repris, ma mère en a été bien soulagée. J'imagine qu'un instant elle a cru que j'attendais un bébé. C'est qu'elle s'y connaît, elle qui est tombée enceinte de moi quand elle avait dix-huit ans ! Le connard est enfin parti, ma mère l'a chassé, quand les femmes de la mer m'ont portée sur leur brouette à moteur jusqu'à la porte de chez nous. Il paraît qu'il s'est approché pendant qu'on me déshabillait, et que j'étais furieuse, je criais qu'il était un pervers et un pédophile. Nous avons vécu sans nous quitter, maman et moi, tous les jours qui ont suivi ma noyade. Elle sortait un peu pour

acheter à manger, du poisson séché, des boîtes
de corned-beef. Avec la tempête, on ne trouve
plus ce qu'on veut dans les magasins. Il y a même
des choses qui manquent complètement, par
exemple le dentifrice. Mais ça n'est pas grave, on
se lave très bien les dents avec du bicarbonate de
soude.

On s'est parlé, tous les jours. On s'est parlé
comme on ne l'avait pas fait depuis mon enfance.
Maman est très belle, pas brune et frisée comme
moi, elle est très blanche, avec des cheveux lisses
mêlés de fils d'argent. Elle me demande de lui
arracher ses cheveux blancs, mais moi je refuse,
je voudrais que rien d'elle ne se perde, que rien
d'elle ne change.

C'est la première fois qu'elle me parle vraiment de mon père. « Il était grand et fort comme
toi », dit-elle. Elle n'a jamais dit son nom. Elle rit
un peu, elle prétend qu'elle l'a oublié.

« Pourquoi est-il parti ? Pourquoi t'a-t-il laissée ? »

Elle a hésité sur la réponse. Enfin : « Les
hommes sont comme ça. Ils s'en vont. Ils ne restent pas. »

Je m'énerve un peu. Je me redresse, je crie :
« Ça n'est pas vrai ! Tu ne veux pas me l'avouer,
il n'est pas parti sans rien dire ! »

Maman cherche avant tout à me calmer. « Bien
sûr qu'il y a des raisons, nous n'étions pas mariés,
quand je lui ai dit que je t'attendais, je voulais

qu'on se marie tout de suite, il m'a répondu qu'il
ne pouvait pas, que ce n'était pas le moment.
J'étais naïve, j'ai cru qu'il disait la vérité. Lui, il a
fait une demande pour être muté, il a quitté la
base, mais je ne savais rien. Un jour, j'ai téléphoné, on m'a dit qu'il était parti. » Maman rit,
un rire un peu grinçant. Avec le temps, tout
devient comique. « J'ai demandé où il était, mais
on n'a pas voulu me donner d'adresse, il paraît
que c'est un secret pour les militaires. Il était
parti sans laisser d'adresse. On m'a conseillé
d'écrire, que l'armée ferait suivre. J'ai envoyé
beaucoup de lettres. J'ai même envoyé ta photo
quand tu es née, il n'a jamais répondu. Peut-être
qu'il est mort, mais même ça les militaires n'ont
pas le droit de le faire savoir. »

J'écoute son histoire, ça me fait un peu trembler. Monsieur Kyo lui aussi est parti sans laisser
d'adresse. Maintenant je comprends ce que ma
mère a vécu, à quel point elle m'a aimée pour
accepter de me garder, quand toute sa famille lui
disait de me donner à l'orphelinat, de m'oublier
pour trouver un vrai mari et fonder une vraie
famille.

« Pardon, maman », ai-je murmuré. Elle me
serre dans ses bras, elle met son visage dans ma
tignasse, encore plus frisée que d'habitude à
cause de toute l'eau de mer qu'elle a avalée. Je
veux la regarder dans les yeux, mais elle me serre

encore plus fort, pour que je ne la voie pas gri-
macer.

« Pourquoi... » Elle n'arrive pas à parler. « Je
ne voudrais pas que tu meures, je t'aime trop. »
Elle dit ça en parlant dans mes cheveux, et ça me
donne envie de rire, parce qu'elle ne l'a jamais
fait. Au contraire, jusqu'à maintenant, elle disait
que j'avais trop de cheveux, que je devais les passer au lissant, pour ne pas ressembler à mon
père. « Je ne voulais pas mourir », ai-je dit. C'est
vrai, je ne le voulais pas. « Je voulais simplement
partir loin dans la mer, traverser jusque de
l'autre côté de l'océan, jusqu'en Amérique. » Je
ne peux pas lui parler du goût de la profondeur,
de la couleur, de l'odeur, des vallées profondes,
des étoiles à la surface quand on renverse la tête
en arrière. D'ailleurs elle connaît bien tout cela,
elle est une femme de la mer, et c'est pour lui
ressembler que je suis entrée dans l'eau. Je ne
peux pas lui raconter la grosse fille aux yeux
troubles qui dort sur son lit d'algues, au fond de
la mer. Je sais que les grands n'y croient pas.
Même Monsieur Kyo n'y a pas cru, c'est pourquoi il m'a abandonnée. Pourtant c'est lui qui
m'a donné la vérité, elle était trop lourde pour
lui tout seul, alors une nuit dans la tente il m'a
donné son esprit, la méchanceté de son cœur, et
à présent il danse sur les routes, il séduit les
bonnes femmes et les couche sur le sol des arrière-boutiques, il n'a plus envie de mourir, il est

libre. Mais je ne veux plus penser à tout cela, je suis vieille maintenant, je dois me prendre en charge. Je serre un peu plus maman dans mes bras, et tout contre son oreille, je dis : « J'ai rencontré le grand dauphin gris. » Maman doit pouvoir me croire, parce qu'elle a été approchée une fois par ce merveilleux animal. « Il était avec moi tout le temps quand j'étais dans l'eau, c'est lui qui m'a aidée. » Le silence de maman me dit qu'elle a cessé de pleurer. Je n'aime pas beaucoup les grands qui s'apitoient sur eux-mêmes, ça me donnerait la nausée. « C'est lui qui m'a sauvée. » J'ai prononcé ces mots plus fort, car il n'y a pas à discuter. Je sais ce qu'elle a envie de dire, non non, tu te trompes ma chérie, il n'y a pas de dauphin gris, c'est une légende, ce sont les femmes de la mer qui ont plongé et qui t'ont sortie de l'eau. Maman croit sans doute que je suis devenue folle, il ne faut pas contrarier les fous, il ne faut pas les réveiller de leur rêve fou. Il faut les laisser continuer, doucement, et puis les reprendre, comme des feuilles mortes qui courent le long d'un ruisseau.

Mais moi je sais ce que j'ai vu. Je sais que j'ai touché cette peau de velours douce et tiède, et le dauphin m'a prise sur ses épaules, comme il l'aurait fait de son enfant, et il m'a guidée jusqu'à la surface de la mer, et il a crié avec moi. Ça je ne pourrai jamais l'oublier. Maman est toute petite et humble dans mes bras, à présent c'est moi qui la berce. « C'est fini, jamais plus je n'irai dans la mer, c'est fini. » Je lui murmure cela très doucement, comme on parlerait à une enfant. Je sais ce que cela signifie : je dois lutter contre la bouche des profondeurs, je dois me contenter de l'amertume des jours sur la terre. Je dois oublier la fille du fond de l'eau, ses yeux pâles, son corps qui ondule. La mer est le lieu des poissons. La mer est pourvoyeuse de coquillages et de calmars, d'ormeaux et d'algues. C'est Dieu qui nous donne le droit d'y puiser notre nourriture. Je me souviens du vieux Jonas, dans la légende que lisait le pasteur David, il a connu les abîmes, les barres qui ferment les portes de la terre, et puis il est revenu de sa sépulture. Pour cela j'ai le devoir de m'occuper de ma mère jusqu'à la fin de ses jours. À mon tour je la serre dans mes bras, je cache mon visage dans ses longs cheveux fins. Je sens son corps maigre, fragile, un corps d'homme plutôt que de femme. Un corps d'adolescent. Je pense qu'elle m'a portée enfermée dans ce ventre étroit, qu'elle m'a nourrie avec ces seins maigrichons.

« Vous n'aurez plus besoin de retourner dans la mer », lui dis-je. Maman se raidit un peu, alors je la serre davantage, et tout près de son oreille je lui répète : « Plus jamais vous n'irez dans la mer, je resterai avec vous, et je prendrai soin de vous quand vous serez vieille. » Et le sarcasme m'est revenu, avec ce goût du café noir que j'aime tant,

et j'abandonne le ton respectueux que j'ai en
général avec elle : « Même quand tu mouilleras
ton lit et qu'il faudra te mettre des couches,
même quand il faudra te nourrir à la becquée
comme un bébé. » Ses épaules se secouent un
peu, je crois que j'ai réussi à la faire rire.

C'est comme cela que nous sommes parties.
Au matin, dans la pluie et le vent. Il paraît que
c'était ce même genre de pluie quand maman est
arrivée la première fois dans l'île, avec moi bébé
attachée dans une couverture sur son dos.

Les camions-citernes, les autos, les motos
montent à l'assaut du ferry, en faisant claquer les
planches pourries de la rampe d'accès. Le moteur gronde, les tôles du navire vibrent. Maman
et moi, nous nous sommes assises par terre dans
la salle des passagers, en compagnie d'une poignée d'îliens mal réveillés, et de quelques touristes détrempés. Il fait chaud dans la salle, la
buée couvre les hublots. Il y a une drôle d'odeur
de mazout et de nourriture qui soulève le cœur.
Quand le navire s'ébranle, tourne sur lui-même
pour faire face au large, je ne bouge pas. Je n'ai
pas envie de regarder l'île noire qui s'en va. Je
sais que je ne la reverrai jamais.

UNE FEMME SANS IDENTITÉ

J'ai tressailli devant la mer.

Je m'en souviens, Takoradi, la grande plage blanche, les vagues qui déferlent lentement, le bruit de la mer, l'odeur de la mer. Bibi et moi, nos chapeaux de paille qui font une ombre sur nos visages, et l'écume aveuglante au soleil.

J'ai peur. J'ai dit ça à celle que je croyais être ma mère, elle s'est un peu moquée de moi. Tu as peur de tout. Ce n'est pas vrai, je n'avais pas peur de tout. J'avais peur du noir, j'avais peur des bruits dans la nuit, des formes qui venaient dans la nuit. Je dormais seule dans un petit vestibule, près de l'escalier. J'avais un matelas posé à même le sol.

Je n'avais pas vraiment peur. C'était la solitude, plutôt, une impression de très grande solitude. Mes parents vivaient à l'étage. Mon père s'était remarié juste avant qu'on ne s'installe dans cette maison près de la mer. Je n'en ai pas un souvenir précis, mais elle devait attendre un enfant. Bibi était dans son ventre, quand elle est née j'ai eu mes cinq ans.

Sur la plage de Takoradi, mon père et sa femme, avec Bibi dans son ventre, et moi. Nous étions quelques points sur une étendue immense de sable blanc, avec les cocos qui se penchaient, et la mer verte. Moi je n'ai rien gardé d'autre que ce tressaillement au centre de mon corps, près de mon cœur. Quelque chose qui bougeait, qui tremblait, comme un nerf.

À huit ans, j'ai appris que je n'avais pas de maman. À cette époque-là, nous vivions dans une grande villa près de la mer. La vie était facile. Mon père gagnait beaucoup d'argent en achetant et en revendant des voitures. Nous étions bien habillés, nous avions des chaussures de marque, des sacs, des jouets. La mère de Bibi ne travaillait pas, mais elle était relais dans la distribution de parfums et de crèmes de beauté, elle était une femme-Aveda comme on disait alors, mon père se moquait en disant Avida. Je ne l'appelais plus maman depuis quelque temps déjà, par instinct, ou bien c'est elle qui m'avait fait comprendre qu'elle n'y tenait pas. Comment je l'appelais ? Je disais : « elle », tout simplement, ou bien la plupart du temps : « Madame Badou ». Après tout, c'était son nom.

Nous allions Bibi et moi à l'école des religieuses de la Nativité, un chauffeur nous déposait chaque matin, avec une des voitures neuves, une Mercedes, une Audi, ou la Chrysler tout terrain. À l'école, il y avait plein de fils et de filles de gens riches, de ministres africains, d'ambassadeurs du Liban ou des États-Unis. Tout ça aurait pu durer longtemps. La seule ombre au tableau, c'étaient les disputes des parents. Bibi était trop petite pour s'en rendre compte, mais moi, au début, ça me faisait peur. Quand les cris commençaient, mes orteils se ratatinaient dans mes savates, je me bouchais les oreilles pour ne pas entendre. Après, j'ai appris à mettre la sono au maximum, du rock, du jazz, ou bien les morceaux de Fela. Je me réfugiais dans la chambre de Bibi. Normalement je n'avais pas le droit de passer la nuit avec Bibi, mais quand les cris commençaient, je savais que personne ne viendrait me chercher. « Pourquoi ils crient ? » demandait Bibi. Je lui répondais : « Ils aboient. » J'avais trouvé ça pour être drôle, mais Bibi ne comprenait pas la plaisanterie. « Pourquoi papa et maman aboient ? — Parce qu'ils deviennent des chiens ! » C'est vrai qu'ils aboyaient comme des chiens qui se battent, la voix grave de papa, et la voix aiguë et rapide de sa femme. Je ne savais pas vraiment pourquoi ils se battaient, je crois que c'est parce que papa avait une autre femme en ville, c'était ça qui rendait sa femme furieuse. Je disais à Bibi : « T'en fais pas, ce sont pas des chiens, ils se disputent, c'est tout. » Quelquefois des objets s'envolaient, des assiettes qui passaient par la fenêtre et atterrissaient dans le jardin, des verres cassés, des bibelots. Quand c'était fini, j'aidais la bonne à ramasser les débris. J'avais honte. Certains objets étaient juste fêlés, ou ébréchés, je les lui donnais en disant : « Tiens Salma, garde-les. De toute façon ils n'en veulent plus ! » Très tôt je crois que j'ai eu un bon sens de l'humour, de cela je les remercie.

Par la suite j'ai appris à mettre à l'abri les choses fragiles, les jolis vases chinois, les assiettes à dessert ornées de houx, les verres à pied et les bibelots. J'ai appris aussi à ranger les couteaux et les ciseaux. Dès que la dispute commençait, et que je me rendais compte que ça allait mal tourner, et ça tournait presque toujours mal, je fermais à clef le bahut où étaient les couteaux pointus, et j'allais cacher les ciseaux dans la chambre de ma sœur, sous son matelas, parce que j'étais sûre qu'ils n'iraient jamais les chercher là. Salma se moquait de moi : « Laisse, ils ne vont pas se tuer ! »

Une fois pourtant, je n'ai pas été assez rapide. C'était un dimanche, il faisait très chaud, un orage tournoyait au-dessus de la mer. J'étais dans le jardin, je me balançais dans le hamac en jouant avec Zaza, la petite chienne de Madame Badou. J'ai entendu les cris à l'étage, et quand j'ai ouvert la porte, Madame Badou venait juste de planter les ciseaux dans la poitrine de papa, le sang inondait sa chemise blanche. Elle était en proie à une crise nerveuse, elle criait et elle gesticulait, debout devant son mari qui restait immobile, les bras écartés, avec les ciseaux bien droits dans sa poitrine. Il répétait d'une voix tragique, un peu ridicule, mais sur le moment ça ne m'a pas fait rire : « Tu m'as tué. Esther, tu m'as tué ! » Bien sûr, il n'est pas mort. Je l'ai fait asseoir dans un fauteuil, et là, sans aide, j'ai enlevé les ciseaux. La pointe s'était fichée dans la quatrième côte, ça saignait beaucoup mais ça n'était pas grave. Le docteur Kijmann est venu, a fait deux points de suture. La version de papa, c'était qu'il avait trébuché et qu'il était tombé sur la table où les ciseaux attendaient un travail de couture. Le docteur Kijmann n'a pas commenté, il a seulement dit à Madame Badou : « La prochaine fois, faites attention, ç'aurait pu être sérieux. » Il devait bien se douter de quelque chose. La plupart du temps, c'était lui qui s'occupait des contusions de Madame Badou. On tombait beaucoup, dans cette maison.

Quand je pense à cette période, c'est comme s'il y avait eu un avant et un après. Avant, j'étais une enfant, je ne savais rien de la vie, je ne connaissais pas la méchanceté des grands. Après, j'ai été une adulte, je suis devenue méchante moi aussi.

J'essaie de me souvenir du temps d'avant. C'est dans le genre d'un rêve, trouble, lancinant, qui me serre le cœur et me donne mal à la tête. C'est

très beau et très doux. Les après-midi avec ma
sœur Abigaïl. Nous sommes dans le jardin, nous
jouons avec les animaux. Nous escaladons les
arbres pour voir par-dessus le mur, les chauves-
souris qui pendent des branches en grappes de
fruits velus. J'aime bien Abigaïl, je ne l'appelle
que Bibi, elle est ma poupée, je m'amuse à tresser ses jolis cheveux blonds. Un jour, à la piscine,
elle a failli se noyer, et je l'ai tirée de l'eau en
l'attrapant par ses cheveux. Quand je l'ai sortie
de l'eau, elle battait des bras et elle n'arrivait pas
à reprendre son souffle, alors j'ai soufflé dans sa
bouche. J'ai crié : « Bibi, je ne veux pas que tu
mourres ! » Elle s'est réveillée et elle a toussé. Mais
longtemps après, Madame Badou se moquait de
moi, parce que j'avais dit « mourres ».

Je me souviens aussi d'un pique-nique dans la
forêt. C'est loin, nous avons roulé toute la journée
dans le pick-up de papa. Bibi et moi assises sur la
plate-forme avec la chienne Zaza, et Madame
Badou avec papa. Elle est encore jeune, en short,
elle a de jolies jambes bien bronzées qui brillent
au soleil. Nous nous sommes baignés dans la cas-
cade, à l'ombre des arbres géants, avec les libel-
lules rouges qui planent au-dessus de la rivière.
J'entends le rire de Bibi, quand je l'éclabousse,
c'est mon rire aussi.

Tout s'est passé en quelques instants. Le temps pour moi s'est arrêté sur ce jour, sur ce moment. J'ai toujours pensé que ça devait être ainsi quand on meurt. On dit parfois que la mort est le seul moment qu'on ne peut pas vivre. Je ne sais pas si c'est vrai, mais cet instant-là, je l'ai vécu et je continue à le revivre, même si ce n'est pas tout à fait la mort. J'en connais chaque détail.

Notre maison est sur deux niveaux, avec en bas la cuisine, la réserve, le garage qui sert d'entrepôt pour les cartons de marchandises, et un appentis qui sert de chambre pour la bonne Salma. En haut, ce sont les chambres, celle de Monsieur et Madame Badou, la salle à manger, et de l'autre côté la chambre de Bibi, et mon coin près de l'escalier. Nous avons deux salles de bains, une en haut carrelée avec un tub et deux lavabos, et en bas la salle de douche en ciment, où se trouve la machine à laver. Le jardinier Yao habite au fond du jardin dans une cabane, c'est lui qui allume des feux chaque soir pour brûler les feuilles mortes et les ordures ménagères. Il y a aussi une cage avec des perruches, Yao parle avec elles, il parle aussi à son chien, un grand pelé toujours attaché à une chaîne, Madame Badou doit avoir peur qu'il bouffe sa Zaza. Il y a aussi un singe, lui aussi attaché à une chaîne au travers du corps, qui passe son temps dans un arbre. Le singe, je m'en souviens bien parce que c'était toujours un sujet de blagues à cause de son pénis, long rouge et pointu comme une carotte. Nous ne nous en approchions pas, parce qu'il était méchant et papa disait qu'il pouvait nous communiquer la rage.

Yao, nous en avions un peu peur, mais nous l'aimions bien quand même. Il était très grand, très laid, avec son visage mangé par les trous. Sa cahute au fond du jardin lui servait de lieu de rendez-vous pour toutes les femmes qu'il trouvait dans les bars de la ville, c'est du moins ce que Monsieur Badou racontait. Elles restaient une nuit avec lui, et le lendemain on entendait la femme l'insulter et le maudire, parce qu'il n'était rien qu'un ivrogne et un menteur, mais la nuit suivante une autre femme l'avait remplacée. Pour moi et pour Bibi, et à vrai dire pour tout le monde, Yao c'était une légende vivante, nous pouvions parler des heures de toutes ses femmes, et comment il les séduisait. J'avais fini par comprendre que tout était de la magie, il avait un *juju*, voilà tout. Mais malheureusement nous n'avons jamais su son secret, ç'aurait pu nous être utile dans notre vie future.

Je descendais tôt au jardin, dès que l'aube éclaircissait les arbres. Je n'ai jamais aimé traîner au lit. Bibi peut dormir jusqu'à midi. Même si le soleil entre dans sa chambre, elle s'enroule dans le drap sans se réveiller, pour cacher ses yeux.

Moi je m'asseyais dans le jardin, à l'ombre du manguier, je rêvassais en regardant les fourmis courir entre les racines. Ou bien je dessinais dans un cahier, les plantes, les fleurs, les graines, je collais en face de chaque dessin le spécimen. Papa m'avait donné du formol pour enduire les feuilles, je les enfermais ensuite dans un petit sachet en plastique, de ceux qui servent pour mettre les sandwiches, l'odeur était âcre, les enfants de l'école se moquaient de moi, mais c'est une odeur que j'ai appris à aimer. C'était un peu l'odeur de la mort, c'était l'odeur de ce temps-là.

Ils parlent. J'entends leurs voix par la fenêtre de leur chambre, volets encore fermés. J'ai un sixième sens pour les disputes, je les sens venir, je tends l'oreille pour deviner ce qui va suivre, pour comprendre d'où vient le danger. J'ai pensé aux assiettes, sûrement, et aux ciseaux dans le tiroir de la commode, au coupe-papier sur le bureau de papa. Je tends l'oreille, mais les voix ne sont pas trop aiguës, le ton pas oppressé, elles parlent vite puis elles s'interrompent, et entre les mots s'étend le silence peuplé de tous les bruits ordinaires, bruits des voitures dans la rue, sirène de la police, grondements des bus à échappement libre. Le jardin est complètement silencieux, parce que les voix ont fait taire les oiseaux.

À part les voix, tout dort à la maison. Je monte doucement l'escalier, à quatre pattes pour ne pas faire craquer les marches en bois. Je suis devant leur porte. Les voix se sont interrompues, j'essaye de deviner ce qui se passe de l'autre côté de la porte. Mon cœur bat chaque fois très vite et très fort, j'ai l'impression de faire quelque chose d'interdit. J'ai peur de ce silence soudain. Est-ce qu'ils sont morts, ou bien est-ce qu'ils préparent un assaut, une bataille décisive pendant laquelle ils vont chercher à s'entretuer ? Je n'ai jamais aimé leur silence. Le silence, c'est le noir, le vide. Le silence, c'est la fin du monde. Je me rappelle, quand j'étais toute petite, grand-mère est morte. Je suis entrée dans sa chambre, sans rien dire à personne. Les volets étaient à moitié fermés, la lumière était grise, les draps étaient tirés sur le corps de grand-mère, jusqu'au menton, et son visage était gris aussi, les paupières fermées faisaient deux taches sombres, la bouche n'avait plus de lèvres, elles étaient rentrées sur les gencives, mais c'était le silence qui m'avait terrifiée, je suis restée sans bouger, tous les poils de mes bras étaient soulevés, et j'ai dû faire un effort pour m'arracher, et repartir.

Là, les voix ont repris. Elles racontent une drôle d'histoire. L'oreille collée à la porte, j'entends tout ce qu'elles disent. Ma mère, mon père, mais c'est surtout ma mère qui parle. Je comprends d'un seul coup qu'elle parle de moi. Comment est-ce que je l'ai deviné ? Je crois que je m'y attendais, que j'attendais cet instant. Dans les rêves, ça se passe comme ça, on sait avant de savoir. Ou bien, à l'instant où on comprend, on se dit, c'est ça, ça devait bien arriver un jour, je le savais. Je l'ai toujours su.

J'y ai pensé tellement souvent, je ne sais plus si mes souvenirs sont exacts. J'ai inventé mille fois cette scène, moi qui monte à quatre pattes les escaliers, mon oreille collée contre le bois de la porte, les mots qui vont et viennent. Les mots qui peuvent détruire. Les mots ordinaires, les mots de tous les jours, qui rongent et font mal.

« La petite Rachel » (…) « Sans famille, sans maman » (…) « Il faudra le lui dire, il le faudra, tu entends ? » (…) « Tu dois lui dire la vérité, qu'elle n'est pas de moi, tu dois le lui dire » (…) « Rachel n'est pas ma fille, elle ne le sera jamais » (…) « Il aurait fallu la laisser quelque part, ça ne manque pas de gens qui ont besoin d'enfant » (…) « Rachel sans nom, c'est ça qu'il faudrait dire

quand on parle d'elle, Rachel No-Name » (…)
« Une enfant trouvée, une enfant de la rue, dont
personne ne veut » (…) « Arrivée par accident,
par malheur, l'enfant de personne, tu entends, de
personne ? » (…) « Je ne la laisserai pas prendre la
place d'Abigaïl » (…) « Je ne veux plus qu'elle
m'appelle maman » (…) « Maman, maman,
quand elle dit ça j'ai envie de vomir » (…) « Il faut
le lui dire, maintenant, tout de suite, il faut lui dire
la vérité » (…) « Qu'elle est née d'un accident
dans une cave » (…) « Ce n'est pas pour la chasser
de chez nous, non on n'est pas des monstres »
(…) « Quand elle me regarde, j'ai envie de la gi-
fler » (…) « Elle me provoque, tu sais, je suis sûre
qu'elle sait tout, on le lui a dit, mais elle joue à
celle qui ne sait rien » (…) « Ça se voit dans ses
yeux, elle me regarde sans baisser les yeux, c'est
pour provoquer, pour dire : dis-le, dis-le, que tu
n'es pas ma mère ! » (…) « Je ne pourrai plus la
supporter, sa méchanceté, son venin » (…) « C'est
pour Abigaïl, je ne veux pas qu'elle croie, je ne
veux pas qu'elle s'imagine… » (…) « Elle, prendre
la place de ma fille, réclamer sa part, elle, la fille
d'une pute » (…) « …violée dans une cave » (…)
« La petite Rachel, la petite Rachel, ça n'est même
pas son nom, elle devrait s'appeler Judith ou
Jézabel, elle me fait peur, je la regarde, je ne sais
pas ce qu'elle prépare » (…) « Je n'en peux plus »
(…) « Elle me hait, je te dis, elle me hait, elle nous
hait, c'est un démon » (…) « Oui, un démon, tu

ne sais pas qu'il y a des enfants du démon ? » (…)
« La petite Rachel, la petite Lilith, elle écoute aux
portes, elle espionne » (…) « J'ai peur, la nuit je
rêve qu'elle entre dans notre chambre avec un
couteau, elle cache les couteaux dans son lit, tu le
sais » (…) « Elle mettra de la mort-aux-rats dans
notre café. »

Etc.

Je ne me souviens plus, je ne sais plus ce que
j'ai fait ce jour-là. J'ai couru dehors, dans le jardin, pour me cacher là où j'aime bien être seule,
sous le manguier, et boucher mes oreilles avec
mes mains, pour ne plus entendre les mots réson-
ner interminablement : « … l'enfant du démon…
il faut lui dire… une enfant trouvée, une enfant
de la rue… née d'un accident dans une cave… »
Il me semble qu'alors les voix continuaient, les
mots me retrouvaient jusque dans ma cachette, je
les entendais distinctement comme si j'étais toujours à quatre pattes derrière la porte de leur
chambre, la voix de maman (parce que je l'appelais encore ainsi, même après ce qu'elle avait
dit) : « Rachel sans nom, une enfant sans maman. » J'ai dû m'endormir contre l'arbre, lovée
entre les puissantes racines, sans craindre la petite pluie fine qui tombait ce matin-là, ni les araignées ni les fourmis rouges. J'ai dû dormir
longtemps jusqu'à ce que Yao vienne me chercher, et Bibi aussi est venue, elle a toujours le don
de me trouver au mauvais moment, avec ses petits

airs de rien, et de se frotter contre moi en miau-
lant, ses petits cris, ses petits soupirs, « qu'est-ce
que tu fais ? Pourquoi tu t'es cachée ? Pourquoi tu
fermes les yeux, tu ne veux pas répondre ? Maman ne va pas être contente ! » Et c'était la première fois que je haïssais quelqu'un, la première
fois, j'avais grandi d'un coup et jamais plus je ne
serais une enfant.

J'ai décidé de ne jamais en parler, mais de ne
rien oublier. C'est pour ça que je dis que je suis
devenue grande d'un coup, comme si j'avais bu
la potion d'Alice. Quand on est enfant, on ne
pense pas à l'avenir. Ça n'existe pas vraiment. Je
voyais bien pour Bibi. Elle vivait comme un petit
animal. Elle avait de petits besoins de petit animal. Quand elle avait faim, ou soif, elle geignas-
sait : « Mami, un bonbon, s'il te plaît ! Mami, je
voudrais un verre de jus ! » Quand elle avait sommeil, elle s'affalait là où elle était, sur le canapé
du salon, devant la télé, ou sur le lit de papa et
maman, ou bien même le nez dans son assiette
de soupe, et elle s'endormait. Quelquefois elle
dormait sur le tapis, la bouche ouverte, elle avait
l'air d'un petit chien capricieux. Maman gro-
gnait : « Regarde-moi ça ! Rachel, amène Bibi
dans son lit, enfin, occupe-toi un peu de ta petite
sœur, ne la laisse pas par terre ! » C'était à moi de
la relever, de l'aider à marcher, elle titubait, les
yeux fermés, la bouche gonflée, je l'étendais sur

son lit et je bordais soigneusement sa moustiquaire. Je faisais tout cela mécaniquement, sans
protester, il n'y avait pas à discuter, c'était un
boulot, en échange de la nourriture et du loge-
ment. Bibi s'accrochait à moi, elle mettait ses
petits bras autour de mon cou, elle glissait lentement en arrière. Je l'aimais bien quand elle était
à ma merci. Un jour, je me suis surprise à penser
à l'étouffer entre deux oreillers. J'avais lu ça dans
une pièce de Shakespeare, un gros bouquin qui
traînait à la bibliothèque du lycée et que j'avais
ramené à la maison. Je me souviens pertinem-
ment d'avoir couché Bibi, d'avoir bordé sa moustiquaire et d'avoir pensé que ça serait très facile
de la faire mourir. Ça n'était pas de ma faute,
c'est sa mère à elle qui l'avait dit, j'étais l'enfant
du démon.

Alors j'ai désiré être étrangère. Je ne l'ai dit à
personne, je ne l'ai pas écrit dans mon journal,
parce que je savais que Madame Badou lisait
mon journal, et je n'écrivais dedans que des
banalités, les rendez-vous, les devoirs de l'école,
ou des bouts de phrases que j'avais lus, sans signa-
ture, pour qu'elle croie que c'était moi qui les
avais inventés et que j'avais du talent. Je me souviens de celui-ci, par exemple : « *Un certain degré
de solitude dans l'espace et le temps est indispensable
pour produire l'indépendance nécessaire que demande
un travail important.* » C'était de Bertrand Russell,
mais je n'avais pas mentionné son nom.

À partir de ce moment, j'ai décidé que je ne nommerais plus les parents. Ils seraient « lui » et « elle », ou bien, si je devais préciser, ils seraient Monsieur et Madame Badou. Lui, Derek, elle, Chenaz, parce qu'elle aimait ces prénoms depuis qu'elle les avait entendus, dans une *telenovela* brésilienne. J'ai décidé ça, je m'y suis tenue. Personne n'a rien remarqué, sauf Bibi, elle m'a dit une fois : « Pourquoi tu appelles maman Chenaz ? Elle ne s'appelle pas comme ça ? » J'ai eu un petit rire : « Tu ne peux pas comprendre, tu es trop petite. »

J'ai continué à vivre comme avant, quand je ne savais rien. La seule différence, c'était ce nœud au fond de mon corps, ce coin enfoncé dans mon cœur. Je n'ai pas pleuré, je n'ai plus ri. Parfois je faisais semblant d'être triste, ou d'être heureuse. Au temps des fêtes, j'aidais Madame Badou à préparer à manger, je lavais la vaisselle, et comme il y avait beaucoup d'invités ça faisait beaucoup de vaisselle. Je lavais tout ça automatiquement, sans penser à rien. À l'école, mes notes ont plongé. J'allais en classe, je restais assise sans bouger, je n'écoutais pas. Je ne rêvais pas non plus. J'étais juste un morceau de bois, une espèce de Pinocchio. Le brouhaha des voix des élèves, le bourdonnement des profs. J'étais devenue transparente, de la couleur des chaises et des tables, une chaise vide, une table inutilisée. Madame Badou me grondait : « Pourquoi tu

ne fous rien en classe ? Tu crois qu'on te paye
l'école pour que tu dormes ? » Je soutenais son
regard. J'avais un petit sourire qui l'exaspérait,
qui exaspérait tout le monde. Elle essayait de me
lancer une baffe, mais j'avais appris à éviter. Autant mon esprit était immobile, figé comme une
eau froide, autant mon corps était prompt à bouger. Personne ne me rattrapait à la course. En
deux bonds, j'étais dans le jardin ou dans la rue.
Je savais grimper en haut des arbres, j'étais un
singe. J'étais prête à mordre comme une guenon. Madame Badou se lassait. Elle laissait tomber. Sa jolie bouche proférait des menaces, des
injures : « Salope ! Espèce de pute, tu ne feras
jamais rien de ta vie, tu vivras de ton cul ! » Je
crois que j'avais neuf ans quand elle m'a dit ça
pour la première fois. J'ai vite compris que ça
n'avait aucune importance. En fin de compte
elle avait plus besoin de moi que moi d'elle,
pour s'occuper de Bibi, pour faire les courses, et
beaucoup d'autres choses. Et Monsieur Badou,
Derek de son prénom, n'aimait pas trop les
scènes, il s'enfermait dans la chambre du haut et
il buvait son whisky, ça devait lui boucher les
deux oreilles.

Lorsque la ruine a frappé la famille Badou, je n'ai pas vraiment été étonnée. Ces gens ne faisaient attention à rien. Il n'y avait rien d'autre qui comptait pour eux que leurs disputes, leurs cris, leurs scènes, et puis leurs réconciliations, les pleurs, les pardons, les serments d'ivrogne. Moi je regardais tout ça d'un œil froid, j'avais l'impression d'être au zoo, chez les singes. Lui, papa Badou, un orang-outan, chauve sur le sommet du crâne, sa grosse tête, ses bras et ses jambes velus, sa bedaine. Elle, Esther alias Chenaz, quinze ans de moins que son mari, pendant longtemps elle a prétendu que j'étais sa petite sœur, ou sa cousine. Depuis que je savais qu'elle n'était pas ma mère, ça m'était égal qu'elle raconte des histoires pour avoir l'air jeune. J'ai cru qu'elle me détestait, puis un jour j'ai compris qu'elle était jalouse, parce que j'étais si jeune, que j'allais prendre sa place, la rendre vieille, la dominer de ma force et de mon intelligence. Elle était jalouse à cause de Bibi.

J'avais beau être méchante avec elle, me moquer, la faire pleurer, Bibi m'adorait. J'étais son idole. Elle voulait tout faire comme moi, copier ma façon de parler, de marcher, de m'habiller, de me coiffer. J'avais les cheveux longs et raides, je faisais une natte épaisse qui descendait jusqu'au milieu du dos. Bibi, elle, avait des cheveux fins et frisés, presque blonds. Elle les mouillait pour les rendre plus lisses, elle essayait de les tresser mais évidemment ça ne tenait pas, la tresse se défaisait et le nœud de ruban pendouillait, accroché à une mèche pareil à quelque chose qui se serait pris dans une toile d'araignée. Je la tournais en dérision. Quand on revenait à pied de l'école, je faisais exprès de marcher trop vite pour la perdre. Ou bien je me cachais dans une porte, et je la regardais tourner en rond, sangloter. Ce n'est pas que ça m'amusait. C'était plutôt dans le genre d'une expérience scientifique. Je voulais voir ce que ça faisait à quelqu'un d'autre de se sentir abandonnée.

Et puis un jour il y a eu le déménagement. Ça ne m'a pas prise par surprise. Monsieur et Madame Badou se disputaient de plus en plus fort, et quand j'allais écouter à leur porte, j'entendais des bribes qui en disaient long : des « c'est fini, on ne s'en sortira pas », des « est-ce que tu as pensé à moi quand tu as fait tout ça ? », des « salopard, méchant, connard, tu as tout perdu, tu as tout pourri, tu n'as pensé qu'à toi, et ma fille, qu'est-ce qu'elle va devenir ? Et moi, est-ce que tu as pensé à moi ? » J'écoutais, le cœur battant, mais je ne peux pas dire que ça m'inquiétait. Même, dans le fond, ça me faisait plaisir, à la façon d'une dent malade qu'on agace. D'une plaie qu'on gratte pour raviver la douleur. Puisque je n'étais rien dans cette famille, puisqu'on m'avait trahie. Il suffisait de compter les points, un coup par ici, un autre là, l'adversaire titube, haha ! bientôt il va tomber, Monsieur Badou, et elle aussi, Chenaz, avec sa jolie gueule, ils vont tomber tous les deux. Bibi se doutait bien de quelque chose. Maintenant elle se collait à moi comme un petit chien effarouché. C'est moi qui ai fini par le lui dire : « Eh ben, les Badou, ils sont foutus ! » Elle n'était pas trop petite pour comprendre. Simplement, elle aussi, elle avait vécu dans un rêve, elle croyait que rien ne pourrait lui arriver, qu'elle aurait toujours sa chambre rose, ses oreillers de Bambi, ses poupées idiotes, et les petites enveloppes contenant des billets de banque chaque fois que la fée emportait une dent de lait (on ne parlait jamais de souris parce que Chenaz en avait horreur). Moi, depuis quelque temps, je dormais par terre, sur un tapis, pour m'entraîner.

Il a fallu faire l'inventaire. Les belles voitures avaient disparu depuis longtemps, il ne restait plus qu'une camionnette VW rouillée. La maison s'était remplie d'une foule de choses, tout ce qui provenait des magasins et du dépôt, des cartons de chaussures, des sacs à main, des coupons de tissu, des bouteilles d'alcool, des flacons d'eau de Cologne, des trousses de maquillage, des boîtes de biscuits Marie, des cartons de savonnettes, deux ou trois services en porcelaine, et même des ballons de foot dégonflés pliés en équerre. Toute cette camelote qui n'avait pas été saisie par les huissiers et que Monsieur Badou avait soustraite à la confiscation dans l'espoir fallacieux de recommencer la vie ailleurs ! Il y avait quelque chose de comique, je dois dire, à vivre dans ce bataclan, à enjamber les colis et les cartons pour aller aux W-C. C'était comme de vivre sur une plage au milieu des épaves. Ça rendait la ruine moins tragique.

Pendant des semaines, Bibi et moi avons joué à la marchande. De fait, les gens venaient du voisinage, ou bien des créanciers, pour se servir, et c'était moi que Monsieur Badou avait chargée de vendre. Je discutais les prix, je tenais tête, et je gardais l'argent en billets, en cedis ghanéens, en francs CFA ou même en dollars, enroulés dans des élastiques, que je cachais dans le lit de Bibi, et chaque soir nous faisions les comptes et nous apportions la recette à Monsieur Badou, très cérémonieusement, nous étions ses vraies vendeuses, ses trésorières. Bizarrement, maintenant que nous étions ruinés, tout allait mieux dans cette famille. Il n'y avait plus de disputes dans la chambre des parents, ni de pleurnicheries. Moi je dormais sous la moustiquaire avec Bibi, dans le même lit, comme autrefois quand elle était petite et qu'elle avait peur du noir.

Après, ç'a été la débandade.

Je me souviens de cet été-là, il pleuvait tous les après-midi. J'ai compris que le départ était proche quand les visites se sont succédé à la maison, les amis des Badou, les vagues parents, une tante Alma qui était missionnaire au Cameroun, des cousins venus de France, toutes sortes de gens que nous n'avions jamais vus auparavant. Et tous ces gens emportaient quelque chose, même un huissier venu faire l'inventaire qui était reparti avec une collection de petites cuillers en argent appartenant à Chenaz. L'école était fermée, nous étions toujours dans leurs jambes, Bibi et moi, nous les surveillions, plusieurs fois nous nous sommes accrochées aux meubles, aux objets, pour qu'ils ne partent pas trop vite. Bibi a sauvé ses poupées à tête de porcelaine qui avaient appartenu à sa grand-mère, et moi j'ai récupéré un jeu d'échecs, même si je ne savais pas jouer à ce jeu, j'aimais bien les cavaliers en bois d'ébène, et l'échiquier en marqueterie, je l'ai caché sous le lit de Bibi, pour que Madame Badou ne le reprenne pas.

Et puis à cette époque arrivaient les rumeurs de guerre en Côte d'Ivoire, les rebelles, Gbagbo en prison, les chrétiens contre les musulmans, il paraît qu'on évacuait les étrangers vers les autres pays, au Burkina Faso, en Guinée, et même au Maroc, les lycées français accueillaient les enfants étrangers. J'ai pensé qu'un jour il faudrait prendre ses valises et s'en aller comme des voleurs. Comme des mendiants. Où est-ce qu'on irait ? Tous ces pays africains, ça n'était pas pour nous. Est-ce que dans ces pays-là on accueille les mendiants ?

Juste avant les vacances, on en avait parlé à la Nativité. Les filles, Wendy, Lizbeth, Françoise Gélin, Mireille Forester, Cécile, les jumelles Audrey et Alix Perl, Zohra Wengé, Dinah, Aïcha Ben Kassem, Melanie Chan Tam Chan, et les garçons du lycée international, Ramón, Simon d'Avrincourt, et Jackie le métis aux jolis yeux clairs, nous avons promis de nous retrouver quoi qu'il advienne, de nous écrire, même si nous savions que c'était un mensonge, que nous ne nous reverrions sans doute jamais.

Avec Bibi, nous sommes allées nous promener dans la ville basse, pour voir les arbres et les chauves-souris pendues aux branches. L'eau de la lagune était trouble à cause de la pluie, les routes étaient encombrées de voitures et de camions, de charrettes à bras. On aurait dit que tout le monde déménageait, peut-être que la guerre arrivait et que tous les étrangers allaient partir pour l'autre bout du monde. C'était le père de Jackie qui conduisait la voiture, une sorte de gros quatre-quatre blanc avec le symbole des Nations unies peint sur la portière. Le père de Jackie travaillait dans les bureaux, il allait bientôt repartir pour le Congo. J'aimais bien Jackie, un peu avant les vacances il m'avait invitée à sa fête d'anniversaire, nous avions fumé de la beu en cachette sur le toit de la maison, et puis on s'était embrassés, c'était la première fois qu'un garçon mettait sa langue dans ma bouche. Je l'aimais bien parce que lui non plus n'avait pas de mère, elle était partie quand il avait six ans, mais je ne lui ai pas parlé de moi. Je crois qu'à ce moment j'avais une très grande hâte de partir, d'en finir avec l'Afrique, pour commencer une vie nouvelle en France, en Belgique ou n'importe où.

Nous avons franchi la frontière en octobre, c'était un tourbillon, la queue des Africains à six heures du matin sur le tarmac de Roissy, le vent froid déjà, les nuages, la pluie fine qu'on ne voit pas tomber, la policière en uniforme qui bâille en regardant les papiers, pourquoi est-ce que je n'ai pas de passeport, seulement un certificat de naissance écrit en anglais, un carnet de vaccination et des bulletins scolaires de l'école des sœurs, une attestation de perte de document et une autre de demande de passeport, et les Badou avec leurs passeports français tout neufs, et la foule qui pousse, qui veut entrer, puis qui monte le long

corridor, Bibi et moi avec nos sacs à dos bourrés
de colifichets, de photos-souvenirs, et les bagages
qu'il faut traîner, le taxi qui nous emmène sur les
autoroutes, les lumières des voitures encore allumées, les essuie-glaces qui balaient la pluie. Bibi
s'est endormie sur mon épaule, la bouche ouverte, une mèche de cheveux blonds collée sur sa
joue comme quand elle était toute petite.

Malraux, Disney, au Kremlin-Bicêtre, c'était notre nouveau monde. Un endroit bizarre, à moitié accroché à un tertre, des immeubles alentour, des rues qui ont l'air d'aller nulle part, sauf l'autoroute avec son bruit de fleuve en crue, et le grand cimetière de l'autre côté. Au début Bibi et moi nous nous bouchions le nez quand nous passions par là, on faisait ça autrefois devant le cimetière sur la route de l'école à Takoradi. Et puis tous ces gens, dans le métro, dans les bus, à pied dans les rues, ces gens qui ne s'arrêtaient jamais. Très vite on a appris qu'il fallait effacer le passé. Pour moi c'était facile, parce que ça faisait longtemps que je n'avais plus de vie. Tout ça là-bas était frappé d'irréalité. Mais pour Abigaïl (elle ne voulait plus que je l'appelle Bibi) c'était presque insurmontable. Quand elle revenait du collège du 14-Juillet, elle s'enfermait dans sa chambre avec ses poupées, ses photos, avec les magazines de mode que

Chenaz ramenait du boulot, car la Madame Badou avait trouvé à travailler comme secrétaire chez un dentiste de la rue Friant, qui était aussi son amant. Monsieur Badou, lui, n'avait plus sa place parmi nous. Après un passage par Paris il était allé vivre en Belgique, il était devenu factotum dans un restaurant populaire au bord de la mer du Nord. Il avait bien essayé de reprendre Bibi, mais Chenaz n'avait pas voulu, elle avait fait une croix sur leur histoire commune, elle avait même demandé le divorce. Tout ça pour moi n'avait pas beaucoup d'importance. C'étaient les trucs et les machins des adultes, qui ne se soucient que d'eux-mêmes. Mais celle qui m'attristait, c'était Bibi, parce que je voyais bien qu'elle ne s'en remettait pas. Je restais avec elle après l'école, je la regardais tourner les pages des magazines ou bien tresser les cheveux de ses poupées comme si elle avait encore dix ans. On parlait un peu, on faisait semblant d'être encore là-bas, dans la maison blanche, avec le jardin et la guenon Chuchi, la chienne Zaza, le chien-loup et les oiseaux, et que ça devait durer toujours. Un jour on se réveillerait, et tout serait comme avant.

Elle s'endormait dans mes bras, je caressais ses cheveux soyeux. Je lui chuchotais des histoires. Dehors, il y avait cette ville que nous ne connaissions pas, ces gens que nous ne connaissions pas. Nous étions dans un rêve où tout était encore possible. Il suffisait de baisser le store, d'allumer la télé, et de laisser le monde s'éteindre.

Parfois, petit à petit, le monde venait jusqu'à nous. Après l'école, les filles qui téléphonaient, les rendez-vous avec des garçons dans le square Disney, ou à Malraux. Nous étions toujours ensemble. Bibi avait grandi plus vite que moi, nous avions les mêmes tenues, jean et polo noir à capuche, baskets noires, quand il faisait vraiment froid nous avions des sortes de couettes sans manches avec col en simili-fourrure, nous avions l'air de cailleras, ou plutôt d'épouvantails. Je maquillais Bibi avec les crayons noirs, l'ombre à paupière bleue, pour qu'elle ait des yeux de hibou, elle disait de raton laveur à cause de ses cernes. Quand les garçons nous emmenaient traîner à Disney, ou à Malraux, nous refusions de nous séparer. Je voulais que ce soit elle la plus belle, elle que les garçons regardent. Avec le temps, j'étais devenue maigre et noire, la seule chose bien, c'étaient mes cheveux, pour disparaître, je les laissais tomber sur mes yeux d'un côté, une virgule noire qui barrait mon visage. Bibi, elle, avait des seins et des fesses, elle voulait les cacher mais les garçons l'aimaient bien pour ça, quand ils la regardaient j'avais l'impression d'être transparente. Sauf que je me moquais d'eux : « Tu te crois intelligent, toi ? » Le garçon se troublait, il devenait agressif. « Tu n'arrives pas à la cheville de ma sœur, tu as compris ? » Il haus-

sait les épaules, Bibi riait, elle m'embrassait, pour
annoncer que nous étions inséparables.

Avec ça, nous avions une crise par jour. C'était
pour des raisons futiles, parce que je n'avais pas
attendu Bibi pour sortir, ou bien au contraire
parce que je refusais de l'accompagner quand elle
allait au centre culturel. Qu'est-ce que j'en avais à
faire de la culture ? Est-ce que nous avions quelque
chose de commun avec leurs foutues pièces de
théâtre, leurs éternelles discutes sur la politique,
leurs plans bidon pour le futur ? Même leurs chanteurs de rap ou leur disco, nous n'y connaissions
rien. Ils n'avaient jamais entendu parler de nos
vrais chanteurs à nous, Fela Kuti, Femi, Fatoumata
Diawara, Becca. Une fois j'ai fait écouter sur mon
baladeur une chanson de Fatoumata, les guitares
et le djembé, et sa voix qui plonge et se tortille et
serpente, et la fille, je l'aimais bien parce qu'elle
était métisse de Chinois ou quelque chose, tout ce
qu'elle a trouvé à dire c'est : « Parce que tu aimes
ça, toi ? » Oui j'aimais ça, mais qu'est-ce qu'elle
pouvait y comprendre ?

Petit à petit, j'ai vu Bibi s'échapper. Ça s'est
passé au cours des mois, des années. Après le
lycée, au lieu de revenir à la maison, elle s'est
mise à traîner dehors de plus en plus tard. Elle
allait dans les bars, elle buvait du vin rouge et je
sentais l'odeur dans sa bouche, et aussi la fumée
des cigarettes dans ses cheveux. Elle travaillait

certains soirs comme serveuse, elle n'avait pas dix-sept ans mais à cause de sa poitrine elle avait l'air plus âgée, quand moi je ressemblais à un ado maladif, hanches étroites et pas de seins, sauf ma tignasse qui me donnait l'air d'être une folle.

Il y avait aussi les questions d'argent. Elle recevait des virements de Monsieur Badou, et aussi des cadeaux de la famille de Chenaz, mais ça ne me rendait pas jalouse. Simplement l'argent s'installait entre nous, c'était un mur qui nous séparait sans que je puisse comprendre pourquoi. Je crois qu'à ce moment-là Bibi savait. On avait dû la mettre au courant pour ma mère. Elle n'en a jamais parlé, sauf une fois ou deux, quand elle était en colère, elle a dit : « Qui tu es, toi ? » Comme si j'avais été ramassée dans une poubelle, un chat abandonné sous une carcasse de voiture ou quelque chose. Elle a dit aussi : « Toi tu n'as pas à me dire ce que je dois faire, tu n'as aucun droit sur moi. » Ces fois-là, ça m'a fait vraiment mal, et je n'ai pas su quoi répondre. Et puis je me suis habituée à l'idée. C'est moi qui prenais les devants. Je lui disais : « On n'est rien l'une pour l'autre, nous ne sommes pas vraiment des sœurs. » Je disais : « Va le dire à maman, moi cette femme n'est rien pour moi, c'est juste une bonne femme. Une Madame. » C'est ce que je disais à présent : « Madame, Madame a dit, Madame a demandé », je jouais à être sa servante. Je faisais des courbettes : « Madame est servie. » Ça rendait Madame Badou hystérique.

Pour vivre, j'ai eu des boulots. Bibi ne trouvait jamais rien, sauf dans les bars. Moi, je me débrouillais pas mal. Sans doute parce que je savais que je ne devais compter sur personne, et qu'il faut toujours mentir. J'ai été vendeuse dans une parfumerie à Orly, j'avais un badge pour entrer dans la section hors douanes, et même de ce gadget Bibi était jalouse. Quand je repérais une annonce qui me plaisait, j'étais la première à me présenter, et c'était moi qu'on prenait. Mais le travail qui m'a fait gagner de l'argent, c'était surveillante dans une école privée, du côté du parc Monceau, une école polonaise pour enfants riches. J'avais dans mon groupe le fils de Polanski, la fille de Boltanski, des gosses comme ça, très mignons, très gâtés, mais avec Bibi j'avais l'entraînement. On m'engageait sans rien me demander, je n'avais pas de papiers ni de recommandations, mais je savais exactement comment il fallait se présenter, les histoires qu'il fallait inventer, comment je devais m'habiller, parler, marcher, je crois que j'étais devenue un miroir qui reflétait l'image que les gens riches avaient d'eux-mêmes.

C'était un tourbillon, du néant avec du bruit et du mouvement. Ç'aurait pu durer toujours. La place, les rues, le métro, c'était n'importe où, c'était quelque part. Madame Badou était partie un beau jour, elle nous avait plantées là pour s'installer chez son dentiste, le fameux docteur Lartéguy, spécialiste en implants et en chirurgie esthétique. Elle habitait avec lui dans un appartement dans Paris, et Bibi avait d'abord refusé d'aller vivre avec eux, et c'était le docteur qui continuait à payer le loyer du Kremlin-Bicêtre.

C'était comme si on ne voulait rien voir, rien comprendre. Oublier, rendre insensible cette partie du cerveau qui fabrique les souvenirs. Un jour j'ai jeté à la poubelle toutes les photos africaines, les cahiers de classe où les copines avaient écrit des petits mots, des petits poèmes, et les tickets de cinéma, même les vieilles cassettes vidéo avec la fête de l'école de la Nativité, quand Bibi avait chanté, habillée en robe fourreau, les chansons de Billie Holiday et Aretha Franklin. Ça faisait plusieurs nuits que Bibi ne rentrait pas, j'étais prise de rage, j'en tremblais. Je déchirais tous les papiers, je cassais les CD, je me suis même entaillé l'index et le sang a giclé partout, mais personne pour me plaindre, j'ai juste recollé la peau avec du scotch et j'ai serré mon doigt dans un chiffon.

Et puis Bibi est revenue. Quand elle a sonné, je ne la reconnaissais pas à travers le judas. J'ai demandé : « Qui ? » Parce que sa voix n'arrivait pas à prononcer son nom, pourtant c'était facile, Bi-bi. Elle a même dit Abigaïl, elle était debout

sur le palier, appuyée au mur, et tout ce que j'ai
vu c'est qu'elle saignait. Sa bouche était gonflée,
pleine de sang, ses yeux entourés d'un cercle
noir comme si on l'avait couverte de charbon,
mais ça n'était pas le rimmel, c'étaient les coups
qu'elle avait reçus, et ses cheveux étaient collés à
sa joue par les larmes ou par la bave. Je l'ai aidée
à marcher jusqu'au sofa, elle s'est allongée, elle a
caché son visage dans ses mains, et j'ai dû écarter
ses doigts un par un pour nettoyer ses yeux et sa
bouche. Je ne lui ai pas posé de questions, de
toute façon elle avait trop bu pour parler, elle
sentait l'alcool et la beu, quand elle ouvrait ses
paupières je voyais ses prunelles qui nageaient
sur le côté, sans arriver à me fixer. Je n'ai pas
appelé la police, j'étais sûre que s'ils la voyaient
dans cet état ils l'emmèneraient à l'hôpital pour
la cuisiner. J'ai attendu près d'elle. Elle a dormi
toute la journée, et même l'après-midi, sauf une
fois où elle s'est levée pour vomir dans les toilettes.

Les jours qui ont suivi, je suis restée avec Bibi
presque tout le temps. J'ai téléphoné à l'école
pour dire que j'étais malade, j'ai annulé mes
rendez-vous. Je restais assise par terre à côté du
sofa, je la regardais dormir, je la regardais manger, je l'aidais à se lever, à s'habiller. Elle n'a pas
vraiment raconté. Je crois qu'elle ne se souvenait
de rien. Elle était tombée dans la rue, disait-elle,
c'est comme ça qu'elle avait cassé son incisive

sur le bord du trottoir. Elle avait des ecchymoses à l'entrecuisse, j'ai pensé qu'elle avait été droguée, violée, sans doute par le gérant du bar où elle travaillait, un type nommé Perrone, et ses copains aussi, mais elle ne se souvenait pas de leurs noms. C'était la guerre. Bibi avait été dans un pays en guerre, avec moi, nous étions parties parce qu'on racontait des choses terribles, et c'était ici, dans cette ville civilisée, avec tous ses beaux immeubles et ses squares proprets et son métro, ici où la police surveille tout, c'était ici que ça lui était arrivé, qu'elle avait été battue et violée, ma petite sœur Bibi, Abigaïl, si naïve et si douce, à qui je racontais des histoires en lui caressant les cheveux. C'était ici.

Madame Badou est venue. Je lui ai téléphoné, pour qu'elle sache ce qui s'était passé. Elle est arrivée, dans sa tenue excentrique, pantalon léopard et anorak à col de fourrure. Elle est passée devant moi sans me regarder, elle a embrassé sa fille : « Ma chérie, mon chou, qu'est-ce qu'on t'a fait, pardonne-moi, j'aurais dû être là, ma chérie, mon amour, parle-moi. » Elle bégayait. Elle m'a prise à témoin, puis elle m'a accusée : « Pourquoi tu n'as rien fait ? Regarde dans quel état tu l'as mise ! » J'ai répondu froidement : « À mon avis, vous devriez la prendre chez vous, ici ce n'est pas bien pour elle. » Chenaz s'est mise en colère : « Espèce d'égoïste ! Tu la… tu la vois dans cet état, tu ne fais rien, tu t'en fous, d'elle, de moi, de nous tous, tu te venges ! » Elle était folle. Je le lui ai dit. Bibi chialait, elle essayait de prendre ma défense, puis elle est allée s'enfermer dans sa chambre. Et moi j'ai pris mes cliques et mes claques et je suis partie.

J'ai vécu un peu partout, à Bourg-la-Reine chez des amis, un couple avec un bébé, chez une copine du boulot, à l'autre bout de Paris. Je n'avais plus de nouvelles de personne. Même s'ils s'étaient entretués, je ne l'aurais pas su. Je venais de temps à autre à Malraux, pour les répétitions. Ce n'était pas vraiment du théâtre, un spectacle avec de la danse et de la musique arabe, Hakim King avait écrit le livret, une variation sur la nuit *Deux cent deux* des *Mille et Une Nuits*, l'histoire de Badoure qui se fait passer pour un homme et dont la fille du sultan de l'île d'Ébène tombe amoureuse. C'était moi qui jouais le rôle de Badoure, peut-être parce que je ressemblais à un homme, en cachant mes cheveux dans un turban. Ou peut-être à cause du nom, c'est ce qu'a dit Hakim la première fois, ça s'appelle la prédestination. Je n'étais pas sûre que ce soit bien ou pas, mais j'aimais le noir de la salle, la scène en pleine lumière, et laisser glisser la musique.

Quand je quittais le centre, j'évitais la place, je remontais par Verdun pour contourner les immeubles. Un soir, j'ai lorgné du côté des fenêtres, j'ai vu que les stores étaient baissés. Le téléphone ne répondait plus, il avait probablement été coupé. Par instants, je ressentais une douleur bizarre au côté droit, je me pliais comme quand on a reçu un coup de poing.

J'ai même fait une chose dont je ne me serais pas crue capable. Un samedi soir, je suis allée voir au bar où Bibi travaillait autrefois. Je voulais rencontrer Perrone. Je n'avais rien à lui dire, je crois que c'était juste de la colère, du vide et de la colère. Je me suis assise au bar, j'ai bu une bière. La spécialité du bar de Perrone, c'était ce truc où les filles reçoivent des offres transmises par le barman, pour rejoindre les mecs dans les chambres au sous-sol. C'était illégal, mais tout le monde savait ça. Quand nous étions arrivées d'Afrique, Bibi et moi étions allées dans ce bar, on buvait tranquillement nos chopines, et là le garçon avait fait passer un billet de cinquante, et il avait dit qu'il attendait notre réponse. Nous on avait pris le billet et on s'était sauvées en courant. Ça n'était pas pour voler, mais pour donner une leçon à ces bâtards arrogants qui croient qu'ils peuvent tout acheter avec leur fric.

Il ne s'est rien passé. En général, c'est Bibi que les garçons remarquent. J'ai attendu, mais personne n'est venu me faire une offre. Il se peut que Perrone ait été averti que j'étais là. Qu'est-ce que j'aurais pu faire ? J'aurais pu lui crier à tue-tête pour que tout le monde entende : salopard, tu as violé ma petite sœur, tu l'as frappée et tu lui as cassé une incisive ! Pourquoi Bibi n'était pas allée se plaindre à la police ? Pourquoi est-ce qu'elle avait accepté ça, comme si elle n'était rien du tout, une serpillière, un jouet sexuel, une fille sans amour-propre ? C'était aussi pour cela que j'étais partie de l'appartement, je ne pouvais plus supporter de la regarder, ce n'était pas à cause de cette folle de Chenaz, c'était elle, parce qu'elle acceptait ce qu'on lui avait fait, et peut-être même qu'un jour elle retournerait dans ce bar, elle sortirait avec Perrone, elle deviendrait sa petite amie. Je sentais la nausée. La musique cognait dans ma tête, cognait dans mon ventre. J'ai voulu descendre au sous-sol, mais un garçon m'a barré l'escalier. « Vous allez où comme ça ? » J'ai imaginé Bibi en train de danser et de boire devant les mecs, j'ai eu un vertige. J'ai demandé les toilettes, je me suis lavé la figure à l'eau froide, et puis je suis sortie dans la rue. Le vide, la colère.

Un mur avait été construit, qui nous séparait. Pendant plus d'un an je n'ai eu aucune nouvelle. Je téléphonais, son portable était toujours sur répondeur, mes textos restaient sans réponse. Je ne savais plus rien d'elle. J'allais à Friant, pour la guetter. Après, j'ai su que le docteur Lartéguy s'était installé du côté de Neuilly. C'est Chenaz qui me l'a appris. J'ai sonné, elle m'a reçue sur le pas de la porte. Elle bloquait la vue avec son corps.

« Est-ce que je pourrais parler à Bibi ?

— Elle n'est pas là. Qu'est-ce que tu lui veux ?

— Quand est-ce qu'elle sera là ?

— Je ne sais pas, elle n'habite plus ici.

— Elle va bien ? Est-ce qu'elle travaille ? »

Chenaz a toujours eu de petits yeux. Pour la première fois je constatais qu'ils brillaient de méchanceté, sans doute elle n'avait pas eu le temps de se maquiller, ses cils trop courts ressemblaient à des poils de balai.

« Écoute, laisse-la tranquille, elle ne veut plus te voir.

— Je voudrais que ce soit elle qui me le dise.

— Après tout ce qui s'est passé…

— Qu'est-ce qui s'est passé ? Est-ce que c'est de ma faute ? »

J'avais fait un pas en avant, Chenaz s'est sentie menacée, elle a fait mine de refermer la porte, sans le vouloir j'ai bloqué la porte avec le bout de ma chaussure.

« N'insiste pas, sinon je vais appeler la police. »

La colère montait en moi, j'en tremblais, et bizarrement, j'avais les yeux secs, je ne voulais pas que cette femme horrible s'imagine un instant qu'elle avait réussi à m'atteindre. Comme je redescendais les escaliers sans allumer la minuterie, j'ai entendu sa voix aiguë qui criait : « Va-t'en, ne reviens plus, Bibi et moi, on ne veut plus te voir, tu entends ? Ne reviens plus jamais ! »

Elle avait tout. Elle avait tout et moi je n'avais rien. Une maman, un papa, de l'argent, une chambre, des souvenirs, ses vêtements de quand elle était petite, ses cahiers d'écolière où elle avait tracé ses premières lettres, elle n'arrivait pas à faire les *r*, elle les écrivait à l'envers, et les tables de multiplication, le calcul, elle ne savait pas faire les divisions, ni les soustractions. Moi, personne n'avait rien gardé de mon enfance. J'avais cru que c'était normal, parce qu'elle était la petite, et je devais la protéger. Je me souviens, un jour, à Takoradi, nous étions à une fête avec les Badou, ça se passait dans un jardin d'ambassade, c'était bondé d'enfants avec leurs parents, quelqu'un avait demandé à Monsieur Badou qui j'étais, il avait répondu : « Elle ? C'est la fille d'un ami. » Pourquoi n'avais-je rien dit ? Je ne savais pas encore la vérité sur ma naissance. J'aurais dû comprendre ce jour-là. « La fille d'un ami. » Il aurait pu dire : « Personne, ne faites pas attention. » Les mots me revenaient, ils venaient de loin, d'au-delà de l'enfance, une phrase de mauvais rêve, il me semble que tout ce que Chenaz avait dit par la suite n'était rien à côté de ces mots-là. Je préférais « enfant du démon », ça au moins ça me faisait rire.

Je voulais tout effacer. Je voulais ne plus me souvenir. Je travaillais, j'allais boire des bières dans les bars. Maintenant j'avais un ami, ce garçon qui prétendait qu'il était un artiste, ce Hakim King du centre culturel. Il était grand et maigre, j'aimais bien ses mains, ses manières douces, ses yeux en amande, sa peau mate, il me rappelait Jackie le métis qui était amoureux de moi à Takoradi. Il jouait bien de la guitare, il composait des chansons pour la nuit *Deux cent deux.*

Boire, c'était tomber dans un puits très profond, loin de la surface de la terre. Au fond, tout au fond, c'était tapissé d'herbe douce, mais dormir dans cette herbe donnait une saveur trop sucrée, écœurante. Hakim me ramenait chez lui, dans son appart près du square Disney. La première fois, il m'a déshabillée, et il m'a regardée dormir à plat ventre sur son lit, la bouche écrasée sur le matelas. Il ne m'a pas touchée. Il m'a dit que j'avais beaucoup ronflé, et il a ajouté : « Quand tu ronfles c'est joli, on dirait un chat qui rêve. » J'ai trouvé cela romantique. S'il avait profité de mon sommeil pour essayer de faire l'amour, je ne l'aurais jamais revu. Quand je me suis réveillée, il a joué de la guitare en sourdine, sans brancher l'ampli. Les notes feutrées cascadaient doucement, ça ressemblait au son du balafon. Sa chambre était en demi-sous-sol, juste un soupirail sur la rue, un grillage bouché par la poussière. Ça sentait une

odeur de sueur et de moisi, je ne pouvais pas
rester très longtemps. Une autre fois on a fait
l'amour, ou presque, parce que j'étais vierge et
qu'il n'y arrivait pas très bien.

Le temps a passé. Après l'été brûlant, les rues
vides, les rideaux tirés. J'étais enfermée dans une
sorte de grotte, d'ailleurs je passais beaucoup de
temps à l'aquarium du Trocadéro. J'aurais bien
aimé y travailler mais ils n'acceptaient pas les gens
sans papiers. « Vous êtes née où ? — Ben, ici. » La
plupart ne voulaient pas me croire. « Vous avez
une carte d'identité, un livret de famille ? » Je
n'avais que mon carnet de vaccination, mes certificats de la Nativité, et dû aux saisons des pluies
ces papiers commençaient à être en lambeaux. Si
j'étais contrôlée, qu'est-ce qui se passerait ? Où
est-ce qu'on me renverrait ? En Afrique, j'aurais
bien aimé. Un moment, j'ai pensé à me faire passer pour Bibi. J'avais gardé sa vieille carte d'identité de quand elle avait seize ans. Mais même là, sur
la photo floue, on ne se ressemblait pas du tout,
elle avec ses cheveux blonds bouclés et ses yeux
clairs un peu tombants, et moi noiraude avec ma
tignasse et des yeux en amande. « T'as l'air d'une
Vietnamienne », a dit Hakim une des premières
fois qu'il m'a vue. « C'est que j'ai été adoptée », ai-
je expliqué. J'ai ajouté : « Je ne sais pas qui sont
mes parents. Peut-être qu'ils sont du Vietnam. »
    L'aquarium, c'était tranquille la plupart du

temps. En sous-sol, il faisait frais, il n'y avait que la lueur verdâtre des bassins où nageaient les murènes. Je m'asseyais sur un banc, je contemplais les reflets, les glissements des ombres. Ça ressemblait au monde de mes rêves.

Je voyageais sur place. Dans mon sac à dos, j'avais mes propriétés. Le jour, je marchais tôt dans les rues, en touriste, je m'arrêtais dans les jardins publics. C'était plein de gens dans mon genre, des jeunes, des étrangers. De temps en temps, des professionnels de la manche, des pick-pockets, je les repérais de loin à leur démarche oblique, je m'en allais aussitôt. Pour le reste, j'étais plutôt invisible. C'est ce que je voulais, passer à travers les murailles. Vers quinze heures, le soleil écrasait. Les rues semblaient sans fin, l'air vibrait au-dessus du goudron. Si j'étais trop loin de l'aquarium, je cherchais l'ombre dans un jardin public, pour dormir un peu. Je savais que dans la journée il n'y avait pas de risque. Juste être abordée parfois par un type qui cherchait l'aventure. « *You spik frenchie ?* » « *Vats yur nem ?* » Il suffisait de ne pas répondre ou, s'il insistait, d'entrer dans une boutique. En général les types lâchaient facilement.

Lorsque je ne squattais pas chez Hakim, je cherchais une piaule pour la nuit, chez les sœurs, ou dans un hôtel économique près d'une gare. Pourtant, l'argent que j'avais gagné à l'école

polonaise était en train de fondre rapidement.
J'avais calculé que je pouvais tenir trois mois. Six
en me rationnant.

Je n'achetais plus mes cigarettes. Quand je
voyais des messieurs dans la quarantaine, je les
abordais : « Pourrais-je avoir une petite cigarette
s'il vous plaît ? » Ça marchait aussi avec les vieux
assis sur les bancs publics, et je filais avec ma petite
cigarette avant qu'ils aient eu le temps de me faire
la morale. Les plus dangereux, c'étaient les flics en
civil. Ils étaient faciles à repérer parce qu'en général ils allaient par deux, en couple, mais on voyait
qu'ils n'étaient pas des amoureux. Pour cette raison j'achetais toujours mes tickets de métro. Une
fois pourtant j'ai été arrêtée par un couple. Ils
m'ont interrogée, lui allait me laisser filer, mais la
femme ne m'a pas crue, et ils m'ont conduite dans
le panier à salade jusqu'au poste. Là, un commis-
saire a vérifié mes papiers, et apparemment mes
certificats scolaires et ma vieille déclaration de vol
ne leur ont pas suffi. « Vous habitez où ? » J'ai
donné l'adresse de Monsieur Lartéguy, ils ont téléphoné. La discussion a un peu duré, puis ils m'ont
relâchée : « Heureusement pour vous, le délit de
vagabondage n'est plus constitué depuis quelques
années. » Ils ont tout de même relevé mes em-
preintes digitales et inscrit mes nom et prénom
dans leur registre. Ça m'a paru comique, parce
que c'était la première fois depuis longtemps que
j'avais une existence officielle.

J'ai été un fantôme. Je dis cela parce que je ne peux pas décrire autrement ce qu'était ma vie, dans cette ville, à marcher, marcher, glisser le long des murs, à croiser des êtres que je ne reverrais jamais. Sans passé ni avenir, sans nom, sans but, sans souvenir. J'étais un corps, un visage. Des yeux, des oreilles. La réalité me portait sur les vagues, au gré du courant, ici ou là. Une porte cochère, un supermarché, une cour intérieure d'immeuble, un passage, une église. Quand on est un fantôme, on échappe au temps. Au temps qui passe, au temps qu'il fait. Pluie, soleil, nuages galopants, vent chaud, vent froid. Pluie encore. Dans les rayons dansent les poussières, parfois les moucherons. Les bruits éclatent, klaxons beuglants, ronflements, cris d'enfants dans un parc vide. Tintement aigu, léger, assourdissant du tramway lancé à toute allure sur son aire de faux gazon, flip-flap d'hélico à travers le ciel. Est-ce que je parle, alors, comme si j'avais un écouteur ? J'ai perdu mon baladeur, mais pour le retrouver il suffit que je mette mon petit doigt dans le trou de mon oreille, j'entends Aretha Franklin, Bessie Smith, Fatoumata, Becca. J'entends Fela qui martèle ses mots, *I am not a gentleman*.

Les seuls mots qui signifient quelque chose. Les autres mots sont morts. Que deviennent les mots quand ils meurent ? Est-ce qu'ils vivent au ciel parmi les nuages ? Ou peut-être dans une

lointaine galaxie, du côté d'Andromède, sur une
étoile sans nom qu'on ne verra jamais ? Être fantôme, ça ne veut pas dire ne plus avoir d'yeux. Au
contraire, je vois tout, jusqu'au moindre détail.
Chaque ride, chaque fissure, chaque marque sur
la croûte du trottoir. Là, la traînée rouge sur le
mur. Là, les bribes d'affiches, les mots arrachés,
les syllabes qui flottent

BLE
        ond
           PI

les chiffres,

    3077
        nx0t125Ibtac1212

    les dates
scories du temps qui ne serviront plus à rien
désormais.

Et toutes ces rues,

                Paterne
                Pasteur
                Fontaine-du-But
                Ruhmkorff
                Valette
                Ernestine

Antoine-Carême
Écouffes
Gribeauval
Belzunce
Valmy

traçant des itinéraires insensés, comme si j'avais pu marcher partout, emprunter ces passages, ces couloirs, ces boulevards, fût-ce une seule fois dans toute ma vie.

Je marchais avec un plan à la main, un guide que j'avais acheté sur les quais, au début c'était pour faire touriste, pour faire croire que je visitais les musées, les monuments et les cafés célèbres. Ensuite j'ai oublié la raison, j'énumérais les rues où je n'irais pas, je lisais leurs noms à voix haute.

Assise sur un banc sous la pyramide, parce qu'il y faisait relativement frais, et nous sommes des milliers, hommes, femmes, enfants, à arpenter l'espace l'œil vide et les jambes en coton. Je construisais des itinéraires compliqués : de Brochant, traverser la rue des Moines, passer devant l'église Sainte-Marie, puis Legendre jusqu'à Dulong, traverser le boulevard, la rue de Berne, de Constantinople, la rue de Rome jusqu'à la gare Saint-Lazare. Là, attendre un peu, et regarder, écouter, aviser.

Quelque chose en moi qui brûlait. Bien sûr, le soleil (mais ce n'est pas comme s'il n'y en avait pas en Afrique). Le soir, après la journée à marcher dans les rues et dans les parcs poussiéreux, à traverser les esplanades, à monter les volées d'escaliers, à attendre sur les bancs de pierre, je ressentais la brûlure sur mon visage, sur mes bras, sur mes jambes. Une sorte de fièvre qui venait d'ailleurs et entrait en moi par la peau. Quand j'allais me laver dans les toilettes des cafés, je voyais le reflet de mon visage noirci, mes yeux rougis. Je devenais peu à peu un monstre. Les femmes s'écartaient de moi. D'autres me regardaient à la dérobée. Une fois, j'ai surpris le regard d'une jeune femme dans le miroir. D'un seul coup ma colère a éclaté. Je l'ai attrapée par les épaules, je criais : « Qu'est-ce que tu veux ? Parle, qu'est-ce que tu cherches ? » Elle s'est dégagée, elle est partie en courant, j'ai entendu sa voix glapir des insultes. Ma tête tournait, il me semblait entendre la voix de Chenaz : « Mais elle est folle, celle-là ! » Dans la salle, le garçon m'a rendu mon sac à dos. « On ne veut pas de vous ici. » Je n'ai même pas eu à payer mon café. C'était la première fois que cela m'arrivait, ensuite c'est devenu presque une habitude. Café, querelle, expulsion. Là encore, ça m'a donné confiance en moi : quand les gens ont peur de vous, c'est qu'ils vous voient. Vous existez.

Peu à peu, je me suis rapprochée de Friant, le cabinet dentaire de Monsieur Lartéguy. Je passais beaucoup de temps au Jardin des Plantes, dans la serre. C'était la fin de l'été, il pleuvait souvent. La pluie ruisselait sur les vitres de la serre, je retrouvais l'odeur de la terre d'Afrique, j'écoutais le tapotement des gouttes. Je respirais l'humidité. Tout cela venait à la manière d'un frisson, comme la fièvre autrefois, une sensation à la fois douce et douloureuse. J'étais au bord des larmes. Je murmurais : « Bibi, où es-tu ? Pourquoi m'as-tu abandonnée ? »

Elle avait failli mourir de fièvre. Sur la route au bord de l'océan, en revenant de Grand-Bassam. Il pleuvait les mêmes gouttes lourdes, la chaleur mouillait nos cheveux. La voiture tanguait sur les ornières, le ciel était noir. À la frontière, nous avons dû attendre deux heures, les papiers de la voiture n'étaient pas en règle, je n'avais toujours pas de passeport, papa a parlementé, payé l'amende en rouleaux de cedis. Quand nous sommes arrivés à la maison, Bibi ne parlait plus, elle ne tenait plus sur ses jambes. Toute la nuit je suis restée à côté d'elle. Je voulais prier, mais je ne pouvais rien dire d'autre que répéter jusqu'à être hébétée : « Mon Dieu, ne la faites pas mourir. » Le lendemain, le médecin est venu, il a fait des piqûres de chloroquine, mais la fièvre a continué plusieurs jours. Il disait que Bibi risquait des convulsions, de rester anormale. J'ai guetté chaque instant, chaque frisson, j'apportais des serviettes glacées du frigo, je l'obligeais à boire, je l'aidais à s'asseoir sur le seau pour ses besoins. Plus tard, j'ai pensé que c'est à ce moment-là que j'ai commencé à m'éloigner de Bibi. Peut-être que je ne voulais pas souffrir, tout simplement, et puis je savais qu'elle n'était pas ma sœur, qu'elle me laisserait tôt ou tard, qu'elle serait du côté des Badou. Qu'elle vivrait sa vie de son côté. Et c'est ce qui est arrivé.

Hakim m'a accueillie chez lui. Il était amoureux, il voulait que je sois sa petite amie. Ou plutôt il voulait être mon amant, c'est le mot qu'il utilisait. Il voulait que nous commencions une vie ensemble, une vie d'adultes. Lui avait fui sa famille, son père était violent, il avait passé son enfance entre sa mère et les centres d'accueil, il avait connu le pire, les fugues, les squats, la drogue, les bandes de loubards qui vivent de trafics et de cambriole. Il n'avait que cinq ans de plus que moi, mais il me parlait comme mon grand frère. « Ne fais pas ci, ne fais pas ça, tu vaux mieux que tous ces gens. » Je l'écoutais, j'allais aux cours de théâtre, aux rencontres. Il m'avait choisie pour la nuit *Deux cent deux*, il disait que j'étais douée pour la comédie.

Il avait beaucoup d'amis, tous croyaient que nous étions vraiment un couple. Mais au bout de quelques semaines je ressentais à nouveau le vide, la colère, et je repartais avec mon sac à dos et mon bonnet enfoncé jusqu'aux oreilles. J'avais besoin de silence, c'est-à-dire du bruit de la rue, du coude-à-coude dans la foule. Je tournais autour de Bicêtre, ou bien dans toutes ces rues près de Jussieu et du Jardin des Plantes, ou de la gare d'Austerlitz, Saint-Médard, Ortolan, Pestalozzi, Patriarches, et aussi vers Denfert-Rochereau, la Tombe-Issoire, Alésia, Broussais, Cabanis, et encore autour de l'hôpital Sainte-Anne, Pascal, Cordelières, Broca, Croulebarbe, Reculettes, Boussingault, et toujours, un jour ou l'autre, ou plutôt un soir ou un matin, pour finir vers Friant, par l'avenue du Maine, Châtillon, Chantin, Cain, Carton, Coulmiers, pourquoi tous ces noms en *c*? La cour intérieure de Friant, entourée de bâtisses en brique laides, où s'établissait la cloche habituelle, jeunes vagabonds et vieilles soûlardes, délogés périodiquement par les vigiles du supermarché voisin, par les concierges hargneux, et qui revenaient toujours, comme s'ils avaient oublié quelque chose, à la même place, dans les passages encrassés, entre les baquets de cytises et de lauriers-roses, avec le soleil très doux qui se réverbérait sur les façades en verre, et parmi ces fenêtres celle du dentiste Lartéguy et de son assistante basanée, alias Chenaz Badou.

J'étais du côté des errants : clodos, mendiants, enfants affamés, pickpockets, putes, vieillards solitaires, vieille femme à la jambe bandée à cause d'un ulcère variqueux, jeunes dépressifs, serfs, proscrits, Africains exilés, âmes sensibles, prosélytes en quête de marabout, tireurs de cartes à la retraite, candidats au suicide, assassins timorés, mères en rupture d'enfant, femmes répudiées, ados fugueuses, exhibitionnistes honteux, et bien d'autres encore. Et moi j'étais celle qui n'avait pas de nom, pas d'âge, pas de lieu de naissance, j'arrivais là sur ce terre-plein comme une pelure poussée par la vague.

Un vieux Mauritanien vêtu d'une houppelande même en été lisait son livre, puis il récitait des hadiths, en arabe d'abord, puis en français, très lentement, sans fautes :

« L'individu doit faire l'aumône sur chacune de ses articulations, chaque jour où le soleil se lève. Être équitable entre deux personnes est une aumône, aider quelqu'un à enfourcher sa monture ou l'aider à hisser son chargement est une aumône, une parole douce est une aumône, et chaque pas que tu fais pour aller prier est une aumône, et libérer la route de tout obstacle est aussi une aumône. »

Je ne comprenais pas bien le sens de ses paroles, mais elles m'apportaient la paix.

Un jour, il m'a regardée et il m'a dit : « Adore Dieu comme si tu le voyais, car si toi tu ne le vois pas, lui te voit. »

Mais ce n'est pas Dieu que je cherche, avais-je envie de lui dire. C'est ma mère. Celle qui m'a créée, qui m'a nourrie de son sang, de son lait, celle qui m'a portée et m'a lancée dans le monde. Est-ce que le reste m'importe ? Qu'il y ait des guerres ou des famines, des crimes et des révolutions, est-ce que c'est mon affaire ? Ça serait plutôt celle de ton Dieu qui voit tout.

Hakim King parle sans cesse de ci ou de ça dans le monde, il écoute la radio, il regarde la télé et il s'indigne. Le massacre des innocents à Beyrouth, à Djenin, les attentats suicides, les bombardements en Irak, à Gaza, en Afrique. Lui, il a le loisir d'en parler, à l'aise dans son appart, avec ses potes et ses assistants, avec sa paie de travailleur social à Malraux, son autorité. Son foutu théâtre. Lui, il est du bon côté. Lui, il a toujours eu sa mère. Un jour il m'a présentée à elle, dans une banlieue près de Melun, il a frappé à la porte de son appartement et elle est venue ouvrir, une petite vieille fripée et voûtée, vêtue d'un caftan brodé, les mains et le front tatoués en bleu. Elle ne parlait pas bien le français, et lui émaillait ses phrases de mots arabes, elle nous a servi du thé sucré et des dattes sèches, et quand nous sommes partis, Hakim a embrassé sa tête.

J'ai sonné chez le docteur Lartéguy. Je m'attendais à voir Chenaz, mais c'est une jeune fille qui a ouvert. Elle m'a fait remplir un questionnaire. Je ne trichais pas, j'avais mal à presque toutes mes dents. Oui, c'était la première fois que je consul-

tais. J'ai inventé un nom, Rebecca Kuti, j'étais
sûre que le docteur n'avait jamais entendu parler
d'afrobeat. Pour l'adresse, j'allais écrire Lagos,
Nigeria, mais la petite a secoué la tête : « Une
adresse à Paris, non ? » Alors j'ai donné l'adresse
de Hakim King.

L'examen a été vraiment rapide. Le docteur a
regardé ma bouche, il a baissé son masque et
relevé ses lunettes et la sentence est tombée :
« Mademoiselle, votre denture est dans un tel état
qu'il faudrait des mois de travail pour tout réparer, vous devriez envisager une autre option,
moins onéreuse. » Et quelle option ? « Faire arracher toutes les dents malades et les remplacer par
une prothèse, ça peut être pris en charge par la
sécurité sociale si vous n'en avez pas les moyens. »
J'ai failli éclater de rire. Est-ce qu'il dirait la même
chose à sa fille adoptive, à la délicieuse enfant
qu'il avait fait inscrire à la fac de médecine, pour
qu'à vingt-huit ans elle n'ait plus de dents et à
leur place un partiel avec des crochets de métal
fixés sur les deux dernières molaires ? Sur une
feuille de papier à en-tête, le docteur a griffonné
le nom d'un dentiste à l'hôpital. Il a refusé de se
faire payer. Il était pressé que je parte, avec mon
sac à dos et mon bonnet, que je retourne à ma
rue, et je n'ai pas eu besoin d'écouter à sa porte
pour l'entendre dire au téléphone à sa chérie
qu'elle devait faire en sorte que je ne vienne plus
jamais lui faire perdre son temps à son cabinet.

J'ai rêvé que je mettais le feu.

Je ne sais pas où, ni comment. Je sais seulement que je sentais la chaleur bienfaisante des flammes, que je voyais la lueur orange dans la nuit.

À Malraux, l'entrée du sous-sol n'est jamais verrouillée. J'imaginais l'intérieur du théâtre, peint en noir, et les couloirs, les photos accrochées aux murs, les accessoires, les toilettes graffitées. Le feu a pris dans les cartons, tout de suite, a mordu un grand drap noir qui servait de décor pour la princesse Badoure. Je respirais l'odeur du tissu brûlé, du plastique fondu. Je dansais devant les flammes. J'entendais le ronflement du feu, comme autrefois quand le jardinier brûlait les palmes dans notre jardin. Une fois l'un des palmiers avait pris feu, et Bibi et moi nous regardions avec une horreur gourmande les rats qui couraient au sommet de l'arbre en poussant des glapissements désespérés. C'était une joie sauvage, devant les flammes quand

la nuit tombait, les étincelles se mêlaient aux
étoiles. Nous écoutions Yao, il chantonnait tout
bas, sa voix grave, pendant qu'il jetait dans le bra-
sier des palmes et des branches de dattes sèches. Il
nous semblait un sorcier. Immense, son visage
mangé par la syphilis, et les cicatrices sur ses joues
qui s'allumaient couleur de sang. Papa est arrivé
ensuite, il a ouvert la vanne et il a réussi à éteindre.
« Il est fou, il ne doit pas rester. » Madame Badou
était hors d'elle, mais papa aimait bien Yao, peut-
être qu'il l'enviait d'avoir toutes ces femmes, et
Yao est resté.

Dans le sous-sol les flammes tordent les cartons, transforment les bouteilles de plastique en
flaques brillantes, les flammes rouges, vertes,
orange. Je suis assise par terre, le dos contre le
mur, je chantonne dans ma tête les paroles de
Yao, pas avec des mots, plutôt des hmm, mmm,
wooo, wooo, hmmm !... j'ai ouvert mon sac à dos,
je jette des papiers dans le feu, les bulletins de
l'école, les lettres, les photos, et puis l'histoire de
Hakim King, les feuilles du scénario, je ne serai
plus la princesse Badoure déguisée en homme,
aucun prince ne me trouvera endormie avec ma
blouse ouverte sur ma poitrine, je ne connaîtrai
pas l'île d'Ébène. Je jette mon acte de naissance,
signé par mon père, et qui certifie que je suis née
de mère inconnue, née sous *x* comme on ne
disait pas à l'époque, tout cela part en fumée

dans le réduit à poubelles, je dois devenir une autre.

Je suis l'enfant du démon. C'est elle qui le dit, elle, Chenaz Badou, l'autre femme de Derek Badou, la mère d'Abigaïl Badou. C'est pour ça que j'aime le feu. Les flammes dansent dans l'étroite pièce du sous-sol, elles ronflent et fusent, elles éclairent les murs sales d'une belle lueur rouge. Le plastique des poubelles commence à fondre, il coule en bouillonnant sur le sol, je n'ai jamais vu de volcan en éruption mais ça doit ressembler à ça. Je suis l'enfant du viol, l'enfant qui s'est accrochée à l'utérus de la femme qu'on forçait, l'enfant d'une chienne qu'un chien a prise dans une cave d'une maison, à la lumière d'une bougie, sur un matelas à même le sol. Je suis l'enfant de la rage, de la jalousie, de la grimace. L'enfant née du mal, je ne connais pas l'amour, je ne connais que la haine.

J'ai cru que c'était arrivé à cause des paroles que j'avais entendues, là-bas, chez nous à Takoradi, quand j'étais montée à l'étage pour écouter à la porte, la voix de cette femme, qui disait, qui répétait que j'étais l'enfant du démon. J'étais accroupie, je lui soufflais, comme au théâtre je soufflais les mots dans sa bouche, et elle les répétait, d'une voix geignarde et aiguë, comme au théâtre les mots que Hakim me faisait répéter, je suis Badoure, déguisée en homme pour traver-

ser le désert et être plus proche de l'homme que
j'aime, qui sera mon amant, mon amour.

Maintenant je sais tout. Je n'ai pas eu besoin
qu'on me raconte. J'ai mis les morceaux ensemble, les petits bouts de papier déchirés, sur les-
quels est écrite la phrase qui raconte mon histoire.
J'ai tout reconstruit et maintenant je vois ma vie.
C'est là-bas que tout a commencé. Qu'on ne me
raconte pas d'histoires, c'est là-bas, à Takoradi, sur
la grande plage. Ma mère m'a portée dans son
ventre au bord de la mer, j'ai entendu le bruit des
vagues. Je ne portais pas encore le mal puisque je
n'étais pas née. Je flottais dans le ventre étroit, et
ma mère me maudissait parce que j'appuyais sur
sa vessie, sur ses poumons. Elle vomissait, elle me
maudissait. Si elle avait pu me vomir par la
bouche, elle aurait été libérée. J'étais l'enfant du
mal. Mais moi j'écoutais le bruit doux de la mer
dans son ventre, j'aurais voulu ne pas naître, rester
cachée dans cette grotte marine, à l'abri du jour, à
l'abri de la vengeance. Elle ne voulait pas de moi.
Quand je suis née, là-bas en Afrique, elle m'a
abandonnée. Elle n'a pas voulu me donner son
lait, elle m'a confiée aux sœurs pour que l'homme
vienne me chercher. Il n'y a jamais eu de lettre
avec mon nom, ce n'est pas elle qui a choisi mon
nom. C'est la bonne sœur africaine qui s'occupait
de moi, qui me donnait le biberon, du lait de
chèvre parce que je ne supportais pas le lait des
vaches. Il n'y a pas eu de drames ni de déchire-

ments. Il n'y a eu que le vide. Ce sont les femmes d'Afrique qui se sont occupées de moi, qui m'ont portée dans leurs bras. Puis mon père m'a prise chez lui, mais c'était comme si j'étais un animal. Il ne m'a pas inscrite au consulat, il ne m'a pas donné son nom. C'est comme une trace, une sorte de marque invisible sur ma face, un pli dans mon ventre. Cette cicatrice que je porte au ventre, un peu au-dessous du nombril, longtemps j'ai cru que c'était le souvenir d'une brûlure, un accident de ma petite enfance, j'aurais renversé sur moi une casserole d'eau bouillante. Un pli dans mon cœur, et par cette ouverture est entré le vent mauvais. Le souffle qui a mis ces mots dans la bouche de Chenaz, quand j'écoute à quatre pattes derrière la porte.

Les flammes dansent, ronflent, le plastique des poubelles s'étend sur le sol, la fumée me prend à la gorge, je sens le vertige, je peux encore parler, tourner, lancer mes mots en marmonnant comme le vieux Yao, les mots qui vont faire plier les corps, les torturer, les rendre à merci. Les cris des rats dans les vieux palmiers, tandis qu'ils agonisent.

Je suis à l'hôpital. Je ne sais plus comment tout a fini. C'est Hakim qui a appelé les pompiers, après que le gardien du centre culturel a donné l'alarme. Un bel incendie ! Les poubelles-papiers ont fondu sur le sol comme d'énormes chewing-gums. Hakim m'a fait ce commentaire : « Tu as créé une véritable œuvre d'art, tout ce jaune et ce vert sur le béton ! » Devant les policiers, il a essayé de me couvrir : « Pauvre petite, elle a détecté la fumée, elle a voulu éteindre, elle s'est intoxiquée, vous comprenez ? » Tout le monde comprenait. Personne n'était dupe, la bouteille de white-spirit avait échappé au feu par miracle. Le silence, à présent, le silence avant les règlements de comptes. Je connais ça, c'était toujours ainsi chez les Badou avant la guerre. J'ai reçu une bonne éducation.

On m'a mise dans une chambre individuelle, à la fenêtre grillagée, les murs jaunes, pas de meubles, juste le lit en fer et une sorte de table pivotante, un bras pour le goutte-à-goutte, je suis en observation, sans doute pour déterminer si je suis dangereuse. Je suis vêtue d'une chemise de nuit verte, je ne sais pas où sont mes habits, ni mon sac à dos, je n'ai rien à moi, est-ce qu'on cherche des preuves dans mes affaires ? L'infirmier est un grand type brun, un Antillais, il ressemble un peu à Hakim, quand il ouvre la porte il a un beau sourire, il dit des mots gentils, il m'appelle Mam'zelle, il ne pose pas de questions, il ne fait pas de commentaires. Depuis combien de temps ? Deux jours, deux semaines ? Je ne sais plus quel jour on est. Peut-être dimanche, parce qu'il y a du bruit dans le couloir, des visiteurs, des parents qui vont voir leur fils accidenté, qui lui apportent des fruits, ou bien des stagiaires qui remplacent les infirmières. J'ai un pansement à la main gauche, il paraît que je suis tombée contre le feu, j'ai respiré la fumée bleue, quand les flammes sont bleues c'est dangereux, Yao faisait brûler les journaux, les prospectus et les cartons, et les flammes changeaient de couleur selon l'encre des photos.

Bibi est venue. Elle était accompagnée de Chenaz. Je ne sais pas qui les a prévenues, peut-être Hakim. Il avait gardé son numéro de portable depuis l'époque où on allait ensemble à Malraux. Je me demande s'il est resté en relation avec elle tout le temps, peut-être qu'il est amou-

Tempête

reux de ses beaux cheveux blonds, de sa peau claire. Rien que l'idée me donne envie de rire, il paraît que ça arrive souvent, qu'un type soit amoureux de deux sœurs en même temps. Chenaz est restée un instant, et puis elle a dit qu'elle avait une course à faire. Elle a compris que Bibi voulait rester seule avec moi.

« Ça va mieux ?

— Ça va.

— T'es sûre ? Qu'est-ce que t'as à la main ?

— Rien, une petite brûlure, c'est rien.

— Pourquoi tu ne m'as pas appelée ? Tu ne m'appelles jamais.

— Pour quoi faire ?

— Pour me parler.

— Ben, j'avais rien à dire, probablement.

— Je me suis fait du souci… Je ne savais pas où te joindre.

— Pour me dire quoi ?

— Ben, t'es ma sœur non ?

— Je ne sais pas… Ça ne veut rien dire.

— On aurait pu… on se serait parlé comme avant.

— Ça sert à quoi, papoter ? »

Je regardais Bibi. J'avais l'impression qu'une vie entière était passée. Elle avait vraiment l'air d'une femme. Les hanches larges, un cul, des nichons, même son cou paraissait plus épais. J'étais sûre qu'elle vivait avec un homme. Elle racontait :

« Je travaille à l'hôpital. J'étudie pour être sage-femme, tu savais ?

— Non. C'est où ?

— À Caen. »

Je croyais qu'elle attendait un bébé. À moi, il n'était rien arrivé. C'est pour ça que j'avais le cou toujours aussi maigre. J'avais du mal à supporter le poids de ma tête.

« Rachel.

— Quoi ?

— Je sais pour ta mère.

— Ah ? »

Je me suis raidie. J'ai serré tous mes nerfs, mes muscles. Surtout ne pas broncher.

« Elle demande à te rencontrer.

— Pas intéressée. »

Bibi s'est assise au bout du lit, à côté de mes jambes. Elle sent bon, j'avais oublié. Elle a toujours senti une odeur de bébé. Ça me fait un peu tourner la tête.

« Écoute, Rachel. Je sais que tu vas m'écouter. »

C'est elle qui est grande, à présent, et moi qui suis toute petite. Je ne peux rien faire d'autre que l'écouter.

« Quand tu es partie… Quand on n'était plus ensemble, je suis allée vivre avec maman chez le docteur Lartéguy. Je suis allée à Bruxelles pour parler à papa. Je lui ai posé des questions. Tu sais, j'étais au courant de tout. Tu croyais que je ne savais rien, mais je savais tout. »

Je ne peux pas empêcher mon cœur de battre plus vite. Je baisse les yeux, je ne veux pas voir Bibi, je ne veux pas suivre les mouvements de sa bouche. Nous vivons chacune d'un côté du mur, nous ne pouvons pas nous comprendre. De son côté tout est clair et joli, l'avenir existe, elle est libre, elle a une maison, un amoureux, elle va avoir un métier, elle aura un bébé.

« Pourquoi on n'en a jamais parlé ?

— Parlé de quoi ? »

Je me souviens de tout ce qui a changé. Avant, on riait, on pleurait. Sans raison. Juste parce qu'on avait peur, ou bien parce que Monsieur et Madame Badou se disputaient. On se fâchait, parce que Bibi sortait la nuit sans me dire où elle allait, et que je devais la chercher dans un bar, marcher à quatre pattes pour la soutenir, lui tenir la tête quand elle vomissait. Nous étions pareilles. Maintenant, elle vit de l'autre côté, elle ne sait plus rien de ce que je suis. Elle a les clefs de la liberté, et moi je suis en prison. Je la déteste si fort que je veux me boucher les oreilles pour ne pas entendre, pourtant elle parle de sa jolie voix claire, pas comme la mienne que l'alcool et le tabac ont éraillée comme une vieille casserole.

« Papa m'a raconté.

— Papa… ?

— Oui, je suis allée le voir dans son restau. Il

m'a parlé de toi tout de suite, il est inquiet pour toi. Il a vieilli. »

J'ai envie de ricaner. Lui, Derek Badou, le séducteur. Avec sa teinture aux cheveux, sa moustache, ses Ray-Ban.

« Il a beaucoup grossi, il est un peu chauve là, derrière la tête.

— Je m'en fous, qu'est-ce que tu racontes ? C'est pour me dire ça que tu es venue me voir ? »

Les gens vont et viennent dans le couloir, ils entrouvrent la porte et passent la tête. Ça va être l'heure de la piqûre dans le cathéter, j'ai déjà sommeil.

Bibi m'a embrassée. « Je reviendrai demain, ma chérie. Ne pars pas sans moi, je ne veux plus qu'on se perde. »

Je n'ai rien répondu. Je rêvais déjà. Une chaleur très douce qui m'enveloppait, une chaleur qui venait de tous les côtés, des murs, de la porte, du plafond taché, même du sol en plastique. Je sens la chaleur dans les os de mes jambes, elle filtre jusqu'à ma peau, c'est comme une brûlure heureuse. Est-ce que cette chaleur peut exister sur la terre ? Est-ce que cela a un nom ?

« Ta mère biologique voudrait te rencontrer, elle l'a fait savoir à papa. Elle ne sait pas comment faire, parce qu'elle pense que tu la détestes. Elle a toujours été au courant de ta vie, elle t'a suivie, elle t'a envoyé des mandats. Mais elle ne veut pas que ça se sache, elle est mariée, elle a des enfants, tes demi-frères et demi-sœurs. Elle a eu une autre vie, mais elle ne t'a jamais oubliée. Dans les moments difficiles, elle a toujours pensé à toi, même si elle ne t'a pas connue. Elle te voit dans ses rêves, toujours, elle répète ton nom, c'est elle qui t'a donné ton nom quand tu es née, elle a fait écrire ton nom sur l'enveloppe, quand elle a rempli le formulaire d'abandon. Elle était très jeune, elle a quitté sa famille, elle t'a mise au monde et elle t'a laissée parce qu'elle ne pouvait pas s'occuper de toi. Maintenant elle voudrait te revoir, juste une fois. Elle est prête à venir te rencontrer, là où tu veux, ici, à Caen, n'importe où. Elle ne veut pas revoir papa, elle le hait trop. Mais elle ira où tu veux pour te voir. Elle l'a dit à papa, et lui me l'a dit. Simplement elle veut que ça soit toi, personne d'autre, elle ne veut pas me voir, ni personne. Toi et elle, juste une fois. »

C'est Bibi qui parlait.

La rencontre a eu lieu au Kremlin-Bicêtre.
Hakim avait suggéré le bord de la mer, à Dieppe.
Il trouvait ça romantique. C'est pour ça que parfois je le déteste, il a ces idées stupides et faibles,
comme si le monde entier était une mise en scène
de son foutu théâtre. La place, le dimanche,
c'était un terrain neutre. Il n'y a rien de plus vide
qu'une place un dimanche après-midi. Il faisait
froid, déjà. Sur le terre-plein gris, il n'y avait
presque personne, quelques silhouettes avec des
enfants, et les pigeons qui marchaient à petits pas
dans l'herbe. J'ai imaginé la plage de Takoradi à
cette époque, l'eau verte, les vagues qui avancent,
le vrombissement de moteur de la mer, le vent
tiède, les pélicans. Je ne sentais rien, ni colère ni
douleur, et surtout pas ce tressaillement que
je ressentais là-bas, chaque fois que je m'appro-
chais de l'océan. Je me suis assise sur un banc, le
col de mon blouson relevé, le bonnet enfoncé
jusqu'aux yeux. L'heure du rendez-vous était pas-

sée, j'allais partir quand une forme est apparue
dans le square. Elle s'est approchée de moi, lentement, marchant en oblique comme si elle sortait
de nulle part. Je la regardais en plissant les yeux à
cause de la lumière des réverbères. J'étais étonnée, elle est si petite, si frêle, épaules étroites, elle
ressemble à une enfant, sauf ses jambes un peu
arquées, elle marche difficilement sur le ciment
défoncé de la place, les bras un peu écartés du
corps. Elle est habillée d'une veste et d'un pantalon noirs, ses cheveux sont courts, très noirs aussi,
je ne vois pas son visage, je sens seulement qu'elle
me regarde. Elle m'a reconnue tout de suite. Une
onde de fièvre passe dans mon corps, dans mes
veines, s'élargit dans ma poitrine, je ne sais si c'est
de la colère ou de l'amour, je voudrais parler, me
lever et marcher vers elle, la toucher, mais je ne
peux pas bouger.

Est-ce que je rêve, elle se tient debout devant
moi, elle n'approche pas plus. Elle parle, et j'entends sa voix à l'intérieur de mon corps. Elle a une
voix claire et jeune, un peu aiguë, une voix de petite fille qui martèle les syllabes à contre-pied, les
hache par petits paquets, quelqu'un qui ne sait pas
parler, quelqu'un qui s'est tu longtemps, qui récite
une leçon. Est-ce qu'elle est celle qu'elle prétend
être ? Est-ce qu'elle est une arnaqueuse, comme
tous ces gens du passé, ces gens qui tournaient autour des Badou à Takoradi ? Je l'écoute sans répondre. Je la regarde avec une telle intensité que

les muscles de mon cou ont mal. Sur la place, non loin de Malraux, un groupe d'enfants joue au ballon. Ils poussent des cris, ils s'insultent. Le ballon rebondit sur les carrosseries des voitures en lançant des détonations qui font s'envoler les pigeons. Quelque part un aboiement sur un balcon, on aurait dit la voix criarde du petit chien de Chenaz. À un moment, une fillette s'est approchée de nous, elle doit avoir onze ou douze ans, elle est grosse, avec une masse de cheveux frisés serrés, elle a un visage asiatique, elle me regarde avec insistance. Je lui crie méchamment : « Qu'est-ce que tu veux ? Va-t'en, laisse-nous tranquilles ! » La gamine ne bouge pas pendant quelques secondes, puis elle se détourne et elle quitte la scène. Elle traverse la place, et à demi cachée par les arbres, elle recommence à regarder vers nous, l'air fourbe. Je voudrais lui jeter une pierre, mais il n'y a rien à mes pieds, même pas un gravillon.

La femme en noir n'a pas bronché. Elle s'est arrêtée de parler quelques secondes, le temps de l'altercation avec la fillette. Elle ne l'a même pas regardée. Elle a les yeux fixés sur moi, sans ciller. Elle n'est pas aussi jeune que je l'avais cru. Son visage est fatigué, les yeux creusés, la bouche est déjà marquée par l'âge, ces petites rides aux commissures que les femmes n'arrivent pas à cacher. Mais son cou est bien lisse, je pense qu'elle a dû faire un lifting il n'y a pas longtemps. Je déteste le

fait que nous nous ressemblons. Il paraît que c'est
ce que Monsieur Badou a répété à Bibi, quand il
lui a parlé de ma mère. Très jolie, comme Rachel.
C'est vrai qu'elle a beaucoup de cheveux, très
noirs (la teinture sans doute) et qu'elle est mince
et maigrichonne. Est-ce que tout ceci est une mauvaise plaisanterie ? Est-ce que Monsieur Badou a
fait passer une annonce pour recruter une comé-
dienne ? Mais quel intérêt il aurait eu ? Est-ce que
c'est un complot, pour un héritage il faut retrouver ma génitrice ?

Elle s'est assise sur le banc à côté de moi. Elle
veut prendre ma main, mais je ne me laisse pas
faire. Je vois ses mains, pas du tout comme les
miennes. Ses mains sont petites, sèches, assez
noires. Moi j'aime bien mes grandes mains,
quand j'ouvre les doigts je couvre une octave et
demie au piano. J'ai des mains plus grandes que
la plupart des garçons. C'est pour ça que je
peux jouer le rôle de Badoure. Et elle, comment
s'appelle-t-elle ? Bibi a dit un nom quelconque,
Michèle, ou Mathilde. Et son nom de famille ?
Où vit-elle ? Qu'est-ce qu'elle fait dans la vie, est-
ce qu'elle a des enfants ? Ce seraient mes demi-
frères et demi-sœurs, l'idée seule me donne la
nausée. Je n'ai pas envie de savoir, je n'ai pas
envie de l'écouter. Je me lève à demi du banc,
mais la femme a posé sa main sur mon bras, elle
le serre à peine et il me semble que la douleur
me paralyse.

« Écoute-moi, dit la voix. Je n'ai jamais cessé de penser à toi, je voulais te revoir, je voulais te connaître. Quand tu es née, je t'ai tenue dans mes bras, tu étais très petite et légère, tu étais née à huit mois et demi, tu ne pesais pas plus qu'un petit chat. Je te regardais, la nuit je me réveillais à l'hôpital et je te cherchais dans la salle des nouveau-nés, je voulais te prendre dans mes bras, mais c'était interdit, j'attendais le matin, on t'apportait habillée de ta robe d'hôpital, mais moi je voulais te tenir contre moi, tu étais si petite et douce, tes yeux me regardaient, même quelques heures après ta naissance tu me souriais, je ne voulais pas te perdre, je ne voulais pas qu'on te prenne. Je t'ai donné ton nom, c'est moi qui l'ai choisi, et puis on t'a emmenée… On t'a fait du mal, à moi aussi on a fait du mal, tu m'as été arrachée, tu as été plantée en moi et ensuite tu as été arrachée… »

J'écoute, sans respirer. J'ai envie de me lever, de marcher avec elle sur la place, de lui montrer là où j'ai habité avec les Badou, lui montrer le théâtre où j'ai mis le feu, lui montrer la cave où les poubelles ont fait leurs taches vertes et jaunes. J'aimerais marcher avec elle sur une plage, sur le sable dur, sentir l'eau froide sous mes pieds, regarder nos traces s'effacer. Elle est assise bien droite sur le banc, j'aime bien la façon qu'elle a de garder le dos cambré, elle ne se laisse pas aller sur le dossier comme la plupart des femmes. Ses pieds sont chaussés d'escarpins vernis, plutôt des sortes de sandales à fines lanières et hauts talons.

« Je vais te raconter l'histoire de ta naissance, je vais te la dire mais tu dois aussitôt l'oublier, car rien de ce que je vais te dire ne doit servir ni pour le bien ni pour le mal, et personne d'autre ne connaît ce secret. J'avais dix-sept ans quand tu es née, je ne connaissais rien à la vie, j'ai rencontré ton père par hasard, au bord de la mer, en Afrique, mes parents avaient loué une maison. Lui, il avait une belle voiture, nous allions nous promener au bord de la mer, je me souviens de la brume, j'aimais beaucoup, quand on s'arrêtait près des dunes, être enveloppée par la brume, j'avais l'impression de vivre une histoire d'amour, je cachais tout à mes parents, je sortais la nuit en cachette. Et un soir, alors qu'on était arrêtés près des dunes, il a commencé à me toucher, et moi je ne voulais pas, mais il était plus fort que moi, il est devenu violent, il avait une voix méchante, j'ai essayé de m'enfuir de l'auto mais il m'a rattrapée, il m'a allongée sur la banquette arrière, je voulais crier mais j'avais peur, je croyais que j'allais mourir. Alors je me suis laissé faire, il a fait ça, il m'a fait mal, il tenait sa main appuyée sur ma bouche et je ne pouvais plus respirer. Ensuite il m'a ramenée à la maison de mes parents, et moi j'avais honte, je n'osais rien dire. Je suis allée sous la douche, je me suis lavée longtemps, mon père cognait à la porte, il croyait que je m'étais évanouie dans la salle de bains. »

Je n'ai plus envie d'entendre. C'est de moi qu'il s'agit, de personne d'autre. Personne n'a le droit de parler de moi. J'aimerais entendre une histoire d'amour, une belle histoire. Même Chenaz a eu une histoire d'amour, et Abigaïl est née de son histoire d'amour.

J'aurais aimé être le miracle, moi aussi, qui arrive dans toute cette obscénité. Je ne veux plus entendre, la guerre, la haine, le vol de mon existence.

« Tais-toi, tais-toi ! » J'ai ma voix vulgaire, comme quand je gueule sur les types qui draguent ma sœur, je suis debout, je répète : « Tais-toi je ne veux plus t'écouter. » Mais elle s'est levée, elle trottine à côté de moi, j'entends le claquement de ses talons sur le trottoir, un bruit de petite fille pressée et effrayée, je me souviens quand Bibi avait chaussé les escarpins dorés de Chenaz et qu'elle courait dans le hall de la maison, ses talons qui claquaient sur le carrelage, son rire en grelot.

« Tu mens, c'est toi qui m'as laissée, tu es partie et tu m'as laissée, j'avais besoin que tu me prennes dans tes bras et toi tu m'as rejetée comme si j'étais un vieux chiffon, tu m'as jetée à la poubelle ! »

Elle veut encore parler, mais je crie pour couvrir ses mots : « Tu mens ! Tu mens ! » Et elle répète avec sa voix monotone, une leçon qu'elle récite sans passion : « J'ai été violée, il m'a forcée et il m'a violée ! » Je crie encore : « Menteuse ! Tu m'as jetée, tu m'as abandonnée et maintenant tu viens me raconter tes salades, tes saloperies, je ne veux plus t'entendre, va-t'en, retourne à ton mari, à tes enfants, ils t'attendent, va-t'en avec eux, et ne me parle plus jamais, ni à ma sœur, ni à Monsieur Badou, ne reviens plus me voir, laisse-moi tranquille… »

Ma voix s'est cassée. Je pars en courant à travers la place, et quand je me retourne, elle a disparu. Il n'y a plus que les enfants qui jouent au ballon, et la grosse petite fille sournoise qui m'épie. Je fais un geste de menace, et elle aussi s'échappe et disparaît. Au bout de la rue, je vois encore la silhouette de cette femme, elle descend la butte en direction de l'avenue, on dirait une fourmi noire qui galope.

J'ai mal, j'ai tellement mal quand je respire. Je crois que le poison des flammes n'est pas encore dissipé, je sens encore la brûlure dans mon corps, et l'odeur de cramé qui flotte définitivement sur Malraux, Disney, et tout ce quartier.

J'aurais rêvé que tombe la muraille qui nous sépare. Toutes les murailles du monde. Tout ce qui s'est mis entre moi et Bibi, les empêchements, les atermoiements, les buissons d'épines, les barbelés, toute cette saloperie qui nous a mangées, jour après jour, les ragots, les mesquineries, les injustices. J'aurais rêvé que le vent balaye ça, le vent violent de la mer, et nous serions redevenues comme avant, les meilleures amies du monde. Je le voulais vraiment.

Je suis pour ainsi dire vierge. Quand j'ai quitté l'hôpital, je n'ai pas voulu retourner à Malraux. Le square, le parc aux pigeons, les vieux à Disney, les immeubles aux mille et une fenêtres, tout ça n'existait plus pour moi. Au fond ça n'avait jamais existé. C'étaient juste des morceaux de la réalité urbaine, qui ne sont là que lorsqu'on les regarde. Dès qu'on se tourne, ils disparaissent dans la brume comme des fantômes.

Quand j'ai annoncé à Hakim King que je ne

continuerais pas l'affaire de la nuit *Deux cent deux*, que je ne reviendrais plus à Malraux, il n'a pas été vraiment étonné. Il y a eu un silence au téléphone, et il a conclu : « Très bien, OK, je me… on se débrouillera sans toi. » Je n'en doute pas, ça ne manque pas de petites filles immigrées à qui il promet la lune. La seule chose, c'est qu'il n'en trouvera pas qui auront d'aussi beaux cheveux que moi ! J'ai pensé qu'il était soulagé de ne plus avoir à me voir, il voulait bien la folie en fiction, mais dans la réalité, ça le faisait chier. Il aurait eu peur que je recommence à mettre le feu au théâtre, ou bien que je bousille sa collection de vinyles de Van Morrison, *Moondance*, ses blousons Perfecto. Je n'ai pas vérifié, mais je suis sûre qu'il a changé la serrure de son appart.

Je suis allée vivre à l'ouest. Pour être proche de Bibi, j'ai loué une chambre meublée dans une villa à Arromanches, pas techniquement au bord de l'océan, mais à une demi-heure de marche de la plage du débarquement. Ça n'est pas Takoradi ni Grand-Bassam, mais c'est un espace vide, avec le ciel ouvert et la mer verte pas loin. Ma logeuse est une vieille Anglaise du nom de Mrs Crosley, je crois qu'elle s'est installée là pour être plus près de son mari qui a débarqué sur la plage pendant l'opération Overlord, et puis qui est mort quelques années après. C'est du moins ce qu'elle raconte. Elle m'a prêté des bouquins sur l'histoire de la guerre, sur le débarquement allié (je signale qu'en allemand ça s'appelle « l'invasion »). Elle insiste pour que je travaille comme guide pour les touristes qui viennent en pèlerinage, parce que je parle l'anglais comme une native. Je vous l'ai dit, je n'ai jamais vraiment de difficultés à trouver du boulot.

Quand elle a connu mon intention, Bibi m'a proposé d'habiter avec elle et son copain, à Caen. Lui étudie la médecine à la fac, il s'appelle Michaël Lang, il paraît qu'il est très bien. Mais je ne suis pas sûre qu'il apprécierait de me voir tous les jours au petit déjeuner. Et elle non plus. Il convient de rester modeste sur la capacité des autres à vous comprendre. Je ne parle même pas d'amour, mais juste de tolérance, c'est peut-être la leçon de toute cette histoire. S'il doit absolument y avoir une leçon aux histoires, ce qui n'est pas certain non plus.

J'oubliais la chose la plus cocasse, la plus risible — même si elle est chargée d'une substance amère et ténébreuse. C'est tellement incongru que, malgré tout ce que je sais des Badou, et particulièrement de mon père biologique, j'ai eu du mal à y croire quand Bibi m'en a fait part. Il paraît que le père, le beau Derek Badou, est tellement aux abois qu'il a demandé à ma mère biologique (je parle de la vieille avec qui j'ai eu cette entrevue au Kremlin-Bicêtre) qu'elle lui verse une pension alimentaire pour compenser les torts qu'elle lui a causés en m'abandonnant après ma naissance, et en exigeant de lui une reconnaissance de paternité. Je peux voir le vieux singe dans l'arrière-salle de son restaurant de chicons et de waterzoïs, en train de rédiger sa lettre pleine de larmes et de regrets, sans oublier à la fin de donner son numéro de compte en banque. J'imagine que sans le vouloir il a fait tomber dans l'enveloppe quelques-uns de ses précieux cheveux qui sont les ambassadeurs de ses causes perdues.

Je suis venue à Courcouronnes. C'est par Bibi que j'ai eu le nom et l'adresse de ma mère. Elle croyait que je voulais renouer avec elle, retrouver mes racines, ce genre de chose. Ça l'a émue : « Ma chérie, tu prends la bonne décision, je ne voulais pas te le dire, il n'y a pas d'autre façon d'effacer le passé, tu dois faire face. » Justement ce n'est pas le passé que je veux effacer. C'est cette personne. C'est étrange, tout à coup Bibi est devenue adulte, c'est moi la petite qu'on berce quand elle a du chagrin, à qui on raconte des histoires avant de dormir. Elle me serre contre sa poitrine et je sens ses deux seins déjà gonflés par la maternité. Autrefois ça m'aurait mis les larmes aux yeux. Mais là, je suis froide et lointaine, je ne sens rien, sauf ces deux obus qui appuient sur mon buste plat, et ça me rend triste.

J'ai voyagé en train jusqu'à cette ville, entre champs et barres d'immeubles. Près de la voie ferrée, j'ai vu pour la première fois le camp. Ce n'est pas un endroit convenable. Dans le train, à un moment, une volée de gamins couraient dans les wagons, faisaient claquer les strapontins. L'un d'eux, un garçon de douze ou treize ans, joli visage, yeux très noirs, s'est assis en face de moi pour me regarder : « Comment tu t'appelles ? » J'ai compris qu'il voulait m'intimider. Les autres sont venus, des filles vêtues de pantalons sous leurs jupes, ils parlaient entre eux dans leur langue, et les garçons se serraient contre moi. Puis quand ils ont vu que je n'avais pas peur, ils sont repartis plus loin. À l'arrêt, je les ai retrouvés sur le quai. Ensemble nous avons marché jusqu'au camp. C'est sur une sorte d'îlot entre les bretelles de l'autoroute, les cabanes sont construites n'importe comment, avec des bouts de planches et des tôles. Les voitures font un grondement continu, on croirait la mer à Arromanches. J'étais debout devant le camp, et à ce moment-là, une jeune femme est venue, elle m'a demandé ce que je cherchais. Elle est un peu grosse, l'air brutal. « Je cherche un coin pour habiter. » Elle me toise un instant, puis elle me montre une cabane. « C'est ici, tu peux habiter chez moi. Il y a un matelas. » Quand j'entre dans la cabane, elle me tend la main. « Mon nom c'est Rada. Faudra me payer quand même. » J'ai donné mon prénom, un peu d'argent et on ne s'est rien dit de plus.

C'est comme ça que je suis entrée dans le camp.

J'ai un revolver. Je l'ai pris à Emma Crosley, dans le tiroir de la commode de sa chambre, sous son linge. C'est elle qui me l'a montré, un jour, quand elle me parlait de son mari, le *group captain* Crosley. C'était son revolver d'officier, un calibre 38, petit et trapu. Il y a une balle neuve dans chaque trou du barillet.

Chaque jour, je quitte le camp, je marche dans les rues tranquilles, loin de l'autoroute. Je traverse le quartier de petites villas proprettes avec leurs petits jardins bordés de haies de troènes. Ça pourrait ressembler à Arromanches sauf qu'il n'y a pas la mer au bout des rues. C'est un mois d'automne, chaque jour la lumière décline un peu plus. Les nuages courent dans le ciel, parfois il pleut, j'aime bien sentir les gouttes froides sur mon visage, sur mes mains. Mes cheveux s'alourdissent, ils bouclent un peu comme ceux de Bibi quand elle était petite. Avec l'âge, c'est bizarre, ses cheveux ont foncé et sont devenus presque lisses. J'ai décidé de faire couper les miens très court. Demain, ou après-demain. Les filles aiment bien faire couper leurs cheveux quand elles ont décidé de changer de vie. J'ai repéré une boutique de coiffure dans le bourg, dans la rue qui mène à la gare. Je voudrais une coupe à la garçonne, comme Audrey Hepburn dans *Sabrina*. Je ne suis pas sûre que la coiffeuse saura faire ça, elle doit être du genre à faire des indéfrisables et des teintes violettes pour les vieilles. Je vais changer, je vais être quelqu'un d'autre.

Peut-être que je vais accepter l'offre de Madame Crosley et devenir sa fille adoptive. Après tout, Rachel Crosley, ça n'est pas mal. Quand j'avais dix ans à peu près, une femme est venue à la maison, à Takoradi. C'était une amie de Chenaz, une grande femme très blanche avec un grand nez. Elle m'a regardée, et elle a dit : « Cette petite fille est très mignonne, vous me la donnez ? » Je ne sais pas ce que Chenaz a répondu, mais je me suis sauvée en courant, et je me suis cachée dans le jardin. Je n'ai pas voulu reparaître avant que cette femme soit partie, j'avais trop peur qu'elle ne m'emporte.

J'ai le revolver dans ma main droite, dans la poche du coupe-vent. Il ne me quitte jamais, depuis que je suis dans le camp. Je le garde sous mon oreiller, et je dors en le tenant prêt. Je ne l'ai montré à personne. Si Rada ou un des garçons le voyait, c'est sûr qu'ils le prendraient pour aller le vendre. C'est quand même mieux que leurs couteaux à cran d'arrêt ou leurs cutters. Et puis il ne faut pas que je perde le revolver d'officier du *group captain*. Je dois absolument le rapporter à Arromanches, le remettre dans son tiroir sous le linge, peut-être que la vieille ne se sera même pas aperçue de sa disparition. Sinon, j'inventerai quelque chose : « Le revolver ? Ah oui, désolée, je l'ai emprunté pour faire des photos, c'est pour une *telenovela*, ils voulaient un vrai, pas un jouet en plastique. » Madame Crosley comprendra, elle aime tellement les *novelas*. *Rosa salvaje*. Elle les enregistre avec son VCR. *Dernier amour, Black magnolia, Emmas Glück*. C'était comme ça aussi à Bicêtre, Chenaz Badou et Bibi perdaient leurs heures à regarder la télé.

Au camp, il n'y a pas de télé, ni de lecteur de DVD. Le chef du camp a un ordinateur, mais il ne s'en sert que pour regarder le résultat des courses de chevaux, ou les matches de rugby. Il n'aime pas le foot, il dit que c'est chiqué, qu'ils roulent par terre comme des filles quand ils reçoivent des coups de pied. Au camp, il n'y a pas de distractions. Le soir, tout est éteint à neuf heures. Je reste dans mon lit, la main sur le revolver. J'écoute la respiration de Rada. Je sais qu'elle a envie de moi, mais elle n'a rien osé pour l'instant. Elle fait bien. Je crois qu'il y a longtemps que je n'ai pas vraiment dormi toute une nuit.

Quand j'arrive dans la rue, je vais doucement. Je marche du côté de l'ombre, le long des haies. C'est une rue comme toutes les rues de ce quartier, avec un nom comme tous les autres noms, un nom de plante, ou de fleur. Rue des Rosiers, avenue du Sycomore, du Tamaris, rue des Trembles, rue des Saules-Pleureurs. Au début, je me perdais.

J'errais, je ne retrouvais plus mon chemin dans le labyrinthe. Maintenant, après des semaines, je connais tous les recoins, tous les détours. Il faut monter une butte, tourner, passer devant les petits immeubles, longer un lotissement, et c'est là, en face, au carrefour de trois rues en pente, allée des Capucines, une maison jaune avec des volets en plastique verts, une haie, un portail blanc. Il y a un passage à l'ombre, un trou dans la haie, peut-être que c'est le chemin des chats errants. C'est par là que j'entre. Je m'assois au milieu des arbustes, avec mon coupe-vent vert je suis plutôt invisible. J'attends, il y a des moucherons, des moustiques, des fourmis qui marchent en colonne le long du muret. Il y a de petits oiseaux, ils pépient quand je m'installe dans la haie, puis ils se taisent, ou bien ils vont ailleurs. Par chance, il n'y a pas de chien, ni ici, ni dans les maisons voisines. Même Zaza, la petite bâtarde de Chenaz, m'aurait sentie et aurait aboyé. Dans ma haie, je suis tranquille, je peux espionner la maison.

Je ne vois rien de bien intéressant. Le matin, de bonne heure, il y a cet homme qui sort la poubelle, puis il reste debout dans le jardin à regarder dans le vide. Il est un peu gros, habillé en survêtement gris, ses cheveux sont gris aussi. Il fume sa cigarette debout au soleil, comme si c'était la chose la plus importante de sa matinée. Ensuite il rentre dans la maison, et je ne le vois plus. J'imagine qu'il regarde la télé, ou bien qu'il bricole

dans sa cuisine. Elle ne sort pas avant midi. Elle
prend sa voiture, une Renault 5 bleue fatiguée,
elle passe devant la haie, elle regarde vaguement,
puis elle s'en va, vers Courcouronnes, ou peut-être
vers Évry, là où il y a un centre commercial. Peut-
être que sur sa route, sur la bretelle de l'autoroute,
elle rencontre les gamins du camp, les filles avec
leur bouteille d'eau et leur chiffon sale. Peut-être
qu'elle leur donne une pièce, pour qu'elles ne sa-
lissent pas son pare-brise avec leur chiffon. Ou
bien elle les regarde durement, les lèvres serrées,
et elle remonte sa glace et bloque les portières. En
tout cas, elle ne pense jamais que je pourrais être
là, avec ces filles, moi aussi, avec ma bouteille et
mon chiffon. Quand on abandonne son enfant,
est-ce qu'on pense à ce qu'elle deviendra plus
tard ?

L'après-midi, elle est de retour dans le jardin.
Comme il fait encore beau et chaud, elle tire une
chaise longue dans l'herbe, et elle lit un bouquin,
ou bien elle somnole au soleil. J'essaie d'imaginer
ce qu'elle lit, à quoi elle pense. Parfois, il me
semble que j'entends des mots. Sa voix. Des mots
qui tournent dans ma tête, jusqu'au sifflement, jusqu'au vertige. « Vérité », « dérange », « violence »,
ou bien même des mots plus ordinaires, insensés,
inutiles, « aujourd'hui », « saupoudre », ou même
des prénoms que je ne connais pas, les noms de
ses enfants peut-être, le nom de son nouveau mari,
de sa fille, « Hélène », « Marcel », « Mélanie »,

« Maurice », « Mauricette »… Alors je me bouche les oreilles, j'appuie mes mains le plus fort que je peux sur mes oreilles, j'ai mal au fond des oreilles, j'appuie à faire éclater mes tympans. Il me semble que j'ai entendu ces noms depuis toujours, depuis mon enfance, qu'ils étaient là tout le temps, à Takoradi, au lycée, au Kremlin-Bicêtre, à Malraux. Il me semble qu'ils ont miné ma vie, qu'ils m'ont vidée lentement, sucée de toute mon énergie, de toute ma personne, qu'ils m'ont divisée en deux, en trois, en dix.

Je tiens la crosse du revolver dans ma main droite, dans la poche de mon coupe-vent, je caresse doucement le métal rayé, le cran de sûreté, j'arme le chien, je le désarme. C'est Hakim King qui m'a montré comment on fait avec un revolver. Il m'a emmenée un jour au stand de tir, du côté de La Garenne. J'ai tiré sur la cible, et quand le bout de carton est revenu vers moi, j'ai vu que j'avais mis toutes les balles au centre, il y en avait même deux qui avaient frappé le même trou. D'ici, quand je veux, je ne peux pas manquer ma cible. Une balle, une seule balle, et tout s'effacera. Il y aura un bruit double, la déflagration de la poudre et presque au même moment, mais je pourrai l'entendre distinctement, l'impact de la balle qui entre dans le corps. Pas un cri, surtout, pas une plainte. Pas même un « oh ! ». Juste le bruit sourd et fort de la balle qui entre dans le poumon gauche et perfore l'aorte.

Je connais chaque détail de cette maison, du
jardin, des allées de gravillons, les arceaux des
plates-bandes et les touffes de fleurs, les buissons
épineux, les arbres, un saule pleureur infesté
d'insectes et un bouleau aux feuilles d'argent.
C'est comme si j'avais vécu là il y a très longtemps,
au temps de la maison de Takoradi, comme si
j'avais été enfant, au milieu des autres enfants.
Mais eux ne me voyaient pas. J'étais invisible pour
eux, comme je l'étais aussi pour Chenaz Badou.
Je ne sais pas pourquoi je suis venue, je ne sais pas
ce que j'attends. Depuis que je suis au camp de
Courcouronnes, je viens ici, dans ce trou de la
haie. « Où tu vas, travailler ? » Rada me regarde
avec suspicion. Les gamins du camp me suivent
un moment dans la rue, j'ai pensé que c'était
Rada qui leur avait dit de me surveiller, mais je
tourne d'une rue à l'autre, jusqu'à ce qu'ils se
lassent et partent en courant, et leurs cris aigus
résonnent dans le quartier vide. Une fois je les ai
emmenés jusqu'au centre commercial. Le gérant
du magasin de bricolage n'a pas eu le temps de
s'apercevoir de leur entrée qu'ils étaient déjà à
courir à travers les rayons en poussant des cris
d'Indiens. Il a voulu me dire quelque chose, et je
lui ai parlé fort, comme je ne l'avais jamais fait
pour personne, je parlais en serrant les dents, et
je ne sais pas s'il a compris que je portais une
arme, il a battu en retraite, je disais : quoi ? quoi ?
qu'est-ce qu'ils ont fait, est-ce qu'ils vous ont volé

quelque chose? Dites-le, est-ce que vous les avez vus voler quelque chose? Les gamins couraient à l'étage, ils jetaient leurs cris aigus, ils circulaient entre les rayons, et les rares clients restaient figés sur place, et quand je suis sortie du magasin, les enfants sont ressortis derrière moi et ils ont disparu dans les rues, entre les voitures, vers l'îlot au milieu des voies de l'autoroute. C'est comme ça que j'ai compris que j'étais responsable d'eux, qu'ils étaient ma famille en quelque sorte, obligatoirement puisque je n'avais aucune autre famille. Qu'ils étaient, eux aussi, sans nom et sans domicile, nés n'importe où, sans passé et sans avenir.

Avec Rada, nous ne parlons pas beaucoup. Elle n'est pas vraiment de ce camp, elle a abouti là par hasard, elle est brutale et lourde, elle parle avec un accent rocailleux, peut-être qu'elle a fait de la prison. Peut-être qu'elle est moucharde de la police, et c'est pour ça qu'elle peut rester ici, avec tous ces gosses. Mais j'aime bien qu'il n'y ait rien d'obligatoire, rien de définitif. Pour la première fois de ma vie je me sens libre.

Je suis venue tôt ce matin à l'allée des Capucines. C'est une belle journée d'automne, un ciel très clair. Déjà le froid de l'hiver, dans les caniveaux, le vent coupant des autoroutes. Je marche vite, les mains dans les poches du coupe-vent, un peu penchée en avant à cause du poids de mon sac à dos-cartable. J'ai pris toutes mes affaires, comme chaque fois que je sors du camp. Quand tu habites un endroit pareil, tu sors et tu n'es pas sûre d'y retourner le soir. Toutes mes affaires, ça veut dire juste mon linge de corps, une trousse de toilette, des mouchoirs et un paquet de tampons, et puis quelques papiers sans importance et le seul bouquin que j'emporte partout où je vais, abîmé et taché, *Le Prophète* de Gibran, que j'ai pris sur l'étagère de Hakim, sans sa permission. Ne me demandez pas pourquoi ce bouquin plutôt qu'un autre, je le lis par petits morceaux, c'est comme une chanson, je le lis et je m'endors. Une fois, j'ai été contrôlée par la police, ils ont regardé le livre, et la femme m'a demandé : toi, tu es musulmane ? J'ai souri sans répondre, depuis quand on s'intéresse à ma religion ? À ce moment-là, je n'avais pas encore le revolver du *captain* Crosley, sinon je ne serais pas sortie du commissariat. Donc je serre ce petit objet de métal dans ma main, et j'avance à grands pas vers l'allée des Capucines. Je sais qu'aujourd'hui tout va se décider. Il n'y aura pas un autre hiver d'atermoiement.

La maison est figée dans un silence paresseux. Même les oiseaux se tiennent tranquilles. Je suis debout sur l'allée de gravillons, je regarde vers les fenêtres fermées. Est-ce qu'ils vont se décider à me voir ? Ou bien peut-être que cette femme,

Michèle, Gabrielle, peut-être qu'elle m'a déjà vue, et qu'elle a composé le numéro de police secours. Venez vite, je crois qu'elle est armée. J'ai peur, cette fille me menace, elle a déjà fait un séjour à l'hôpital psychiatrique, ils l'ont relâchée, ou bien elle s'est échappée, elle est dangereuse. Non, non, je ne la connais pas, je ne l'ai jamais vue, je ne sais pas son nom. Je crois que c'est une pauvre folle, une vagabonde, elle habite dans le camp des refugiés de l'autoroute, elle traîne dans les rues de notre ville avec une bande de gosses, des mendiants, des romanichels, des voleurs à la tire.

Je suis tout d'un coup bien fatiguée. Il n'y a rien de plus épuisant que de venir chaque jour devant une maison fermée, pour voir passer une ombre. Je m'assois par terre, dans l'allée de gravillons, je pose mon sac à dos à côté de moi. Aujourd'hui doivent s'achever les mensonges. Aujourd'hui tout doit s'éclairer, et puis disparaître, dans le genre d'une ampoule électrique qui jette un dernier éclat avant de noircir.

C'est un temps intense, qui ne passe pas, ou plutôt qui détaille chaque parcelle, chaque miette, comme si je vivais la vie d'une fourmi. Je vois chaque grain de gravier, blanc, cassé à angles droits, un iceberg dans une mer de glace. Les brins de feuilles mortes, les brins d'herbe

que le Roundup a épargnés, les bouts de pierre
morte, de verre brisé. Dans le ciel clair les
nuages avancent très lentement, pareils à des na-
vires chargés de toile. Ils sont si loin de la terre.
Autrefois à Takoradi je les regardais traverser le
périmètre du jardin, je me couchais par terre
et ils passaient longuement, légèrement, suivant
le vent de la mer. Avec Bibi nous jouions à leur
donner des noms : la baleine, le toucan, l'ogre
blanc, l'ogre gris, la carabosse, les tamarins. Je
suis la même personne. Je suis celle qui est toujours couchée sur la terre du jardin, à l'autre
bout du monde, en Afrique. Il faut que quelque
chose survienne, maintenant, pour interrompre
ma vie rêvée. Il faut que j'entre dans l'autre partie de ma vie.

Ils sont d'abord allés au camp, pour expulser
tout le monde. Il paraît qu'ils avaient annoncé ça,
que la commune ne voulait plus de vagabonds.
Rada a organisé le départ, ils ont rassemblé leurs
affaires, avec les gosses ils sont partis dans des voitures de police vers un immeuble d'accueil où ils
auraient des W-C et des chambres décentes.
Ensuite ils sont allés me chercher, ils sont arrivés
sans faire de bruit. Pas de sirènes, pas de ronflements, pas de cris. Doucement, comme s'ils marchaient sur le sable, sur un tapis de mousse. Deux
femmes, deux hommes. Pas l'air des faux couples
qui rôdent dans les rues pour attraper le petit

poisson. Ils parlent. Ils demandent. Qu'est-ce qu'ils veulent? Ah oui, mon jouet. C'est ça qu'ils demandent. Tout le monde veut avoir mon jouet. Je leur souris. Je souris à la jeune femme qui est devant moi. Le soleil éclaire son visage couleur de bronze. Ses yeux sont très doux, pas comme ceux de Rada. Elle vient de là-bas, de ma ville, des rues de Takoradi, de Cape Coast, d'Elmina. Je me souviens, je l'ai rencontrée là-bas, lorsque ma tante nous a emmenées, Bibi et moi, visiter la prison des esclaves. À côté du fort, les ruelles sont étroites, les maisons sont en brique et en tôle. Elle était debout à l'ombre d'un toit, elle me regardait. Elle était toute petite, une enfant à la bouche gonflée, aux grands yeux agrandis par la crainte. Je lui ai donné des bonbons. «N'ayez pas peur, mademoiselle. Je m'appelle Ramata. Nous sommes là pour vous aider. Donnez-moi votre arme, s'il vous plaît.» Je n'ai pas peur. Je lui souris, j'ai envie de la serrer dans mes bras, comme si nous nous retrouvions après une longue séparation. J'aime bien son nom, un nom d'Afrique. Lentement, je lui tends le revolver, elle le prend et le donne au policier à côté d'elle. «Vous allez venir avec nous, nous allons nous occuper de vous, n'ayez pas peur.» Je vais avec Ramata, elle n'a pas voulu qu'on me passe les menottes. Je m'appuie sur son bras comme une petite vieille, je marche doucement, à petits pas, les gravillons crissent sous nos semelles, un bruit de sable au bord de la mer.

Je suis de retour. Je croyais ça complètement impossible. Je croyais que je ne reviendrais jamais en Afrique. Je croyais que je mourrais sans avoir revu cette terre, cette lumière, sans avoir respiré cet air, sans avoir bu à nouveau cette eau. Quand on part, comme j'étais partie, comme une mendiante, sans papiers ni bagages, est-ce qu'on pense à revenir un jour ? On part, on ne pourra jamais être une touriste dans le pays où on est née, où on a grandi, où on a été trahie. Je ne savais pas que c'était possible. Je n'y pensais jamais.

Il fallait d'abord exister. Comme je n'avais rien, il a fallu inventer un lieu de naissance, une date, trouver des témoins, des prête-noms. C'est Ramata qui a tout fait. Elle a contacté Madame Crosley, puis les bonnes sœurs du couvent de la Conception de Takoradi, elle a même parlé avec Chenaz et téléphoné à Monsieur Badou en Belgique. Comme je ne voulais pas porter ce nom, elle m'a inscrite sous le nom de Crosley, en attendant la procédure d'adoption. Tout était bancal, les documents étaient postdatés, les signatures manquaient, les chiffres étaient faux, mais ça s'est fait, comme une suite de rouages qui se déclenchent les uns après les autres, du ressort jusqu'à la décision finale du tribunal de grande instance. C'est Bibi qui a trouvé pour moi le moyen de retourner en Afrique, assistante volontaire dans le dispensaire de Takoradi. Et je suis partie.

L'équipe est multinationale, il y a des Français, des Anglais, des Coréens, des Américains, et même une Australienne. La plupart, comme moi, n'ont aucune expérience médicale. Nous portons une blouse verte en nylon, un bonnet idem, des chaussons transparents. Nous habitons à quatre par chambre, des cubes de ciment sur-chauffés, et la douche commune. Nous nous parlons un peu le soir, en fumant une cigarette sur la pelouse, pour éloigner les moustiques. Après les présentations, personne ne demande : « Pourquoi tu es là ? Qu'est-ce que tu as fait avant ? » Ça me donne l'impression que nous sortons de prison. Le chirurgien est ghanéen, il s'appelle docteur Dedjo. Quand je lui ai dit que j'étais née ici, il m'a regardée comme si je racontais une blague. Il parle un anglais impeccable, avec un accent très british. Mais il a des marques sur les joues, j'imagine qu'il est ga. Peut-être akan.

L'hôpital est loin de la mer, sur la route de Tarkwa. Le dimanche, quand nous avons du temps libre, nous allons en bus jusqu'à la ville. Les autres filles vont se promener dans le centre, et moi je prends un taxi pour les plages. Je n'ai pas cherché à retrouver notre maison. C'est après la guerre, tout a été effacé. La plage ne ressemble plus à ce que je connaissais. Ou bien c'est moi qui ne m'en souviens plus très bien. Là où il y avait une étendue libre de sable blanc léchée par l'écume des vagues, maintenant il y a des sortes de cabanons en parpaings avec des toits de tôle qui imitent les huttes des *resorts* chics. Les pirogues des pêcheurs ont été remplacées par des gondoles et des pédalos, et un appontement en fer sert de refuge aux derniers pélicans. Je marche dans le sable mou, dans le vent d'hiver. Les nuages traînent bas, cachent l'horizon. Il paraît que Takoradi c'est fini, maintenant les touristes en quête de mer et de kitesurf vont plutôt à Kokrobite ou Amonabu.

Je me suis assise pour regarder la mer, en attendant l'heure de retourner vers Tarkwa. Il a dû y avoir une tempête les jours passés, parce que les vagues montrent un ventre jaunâtre, et l'écume n'est pas très blanche. Mais je reconnais cette odeur, elle me fait frissonner et elle entre au fond de moi, jusqu'au centre de mon crâne, une odeur douce et âcre à la fois, rien de calme ni de civilisé, une odeur de violence incompréhensible. C'est la première odeur que j'ai sentie quand je suis sortie du ventre de ma mère. Je n'avais pas encore d'yeux, mais j'ai ouvert toutes grandes mes narines et j'ai respiré l'odeur de la mer, pour le reste de ma vie. Je n'ai pas cherché à comprendre où j'ai été conçue, ce cabanon obscur dans lequel ma mère a reçu la semence de mon père. Peut-être après tout que c'était dans un de ces affreux bungalows décrépits, et sur la plate-forme en ciment de l'hôtel un orchestre bancal estropiait un reggae ? Quelle importance ? Ma naissance, je sais bien où elle a eu lieu, dans le dispensaire où je travaille. À l'époque, ce n'était pas encore un site officiel de l'action humanitaire (medecinsdumonde.org), mais juste un petit hôpital de campagne tenu par les bonnes sœurs de la Conception, quelques Irlandaises, des Nigérianes, un toubib anglais à la retraite. J'ai visité toutes les salles. La plus ancienne sert maintenant d'entrepôt au matériel médical, cartons de pastilles, seringues, goutte-à-goutte, poches de plasma. Il y a un gros réfrigérateur antédiluvien, avec une poignée rouillée, qui ronronne et parfois tousse un peu. La fenêtre donne sur la cour de terre battue, bordée de limoniers. Bien sûr je n'ai rien vu du tout quand je suis née, ni ici, ni sur la plage. J'ai vécu comme un petit animal abandonné, dans un berceau à deux places, poings et cœur fermés, juste bonne à téter et à salir mes couches, jusqu'à ce que quelqu'un de la famille

Badou vienne me chercher et m'amène chez eux. Quelle importance ?

Le dispensaire n'accueille pas souvent des bébés. Les petites filles jetées vont dans les orphelinats de la capitale. À Tarkwa, ce sont les cas extrêmes. Hier, j'ai assisté à l'extirpation d'une tumeur du scrotum. Le patient est un homme de soixante ans, mais qui paraît plus âgé, à cause d'une vie agitée. Il est surtout préoccupé par ses futurs exploits sexuels, avant l'injection de l'anesthésie il me prend par la main, et il répète d'une voix geignarde : « Vous n'allez pas me l'abîmer, vous n'allez pas le couper ? » et moi je dois seulement lui dire : « Ben, vous allez être plus sage maintenant. » L'extirpation de la tumeur a été une vraie boucherie, du sang partout, sur mes gants, sur ma blouse verte, même sur mes chaussons en plastique. Un peu plus tard, je sors dans la cour pour fumer une cigarette avec les autres volontaires. Le soleil brûle à faire tourner la tête. « Comment c'était ? » demande une des filles qui n'a pas osé assister à l'affaire. Je ricane, peut-être parce que je pense à ce qui s'est passé ici, pour moi, il y a trente-trois ans.

« Ben, c'était pas pire qu'un accouchement. »

J'ai cherché Julia. Je ne sais pas son nom de famille. Je ne connais que ce prénom, c'est par les vieux de l'hôpital que je l'ai appris. C'était elle la sage-femme, du temps des sœurs de la Conception. Elle n'est pas religieuse, elle a quitté la maternité depuis longtemps, mais beaucoup se souviennent d'elle, parce qu'elle était la meilleure, celle qu'on appelait quand la naissance était difficile, le bébé ne se présentait pas bien, ou la maman ne dilatait pas assez. Elle avait des recettes, des décoctions, des prières, elle savait calmer l'angoisse des parturientes, elle savait masser les fontanelles des marmots.

À force de demander, j'ai pu avoir son adresse. C'est près du marché, Summer Road, à toucher la pharmacie Kenrich. J'y suis allée un dimanche, pour être sûre de la trouver. La maison est minuscule, entre deux blocs de béton. Elle survit aux réfections, comme une dent gâtée au milieu de prothèses trop blanches. Quand j'ai frappé à la porte de fer, c'est un garçon de quinze ans qui m'a ouvert, il m'a regardée avec méfiance. J'ai pensé qu'il me prenait pour une envoyée de la banque ou quelqu'un de ce genre, qui allait donner du papier timbré et prendre la maison. Quand j'ai dit le nom de sa grand-mère, il l'a appelée sans se retourner. Il continuait à me regarder, un air de défi dans son regard, avec sa casquette de faux rappeur et ses baskets. Julia est arrivée. Je ne la voyais pas comme ça, si menue, si simple. Avec sa robe tablier et ses tongs, elle ressemble à une paysanne. Ses cheveux gris sont tressés en nattes attachées au sommet du crâne,

une coiffure de petite fille. Je l'ai regardée sans
rien dire, et puis je n'ai pas pu résister, j'ai dit :
« C'est Rachel, vous vous souvenez de moi ?
Rachel. » Ridicule. Elle a dû en mettre au monde
des milliers, des Rachel et des Judith, et des
Norma.

Mais elle ne m'a pas renvoyée. Au contraire,
elle m'a prise par la main et elle m'a fait entrer
chez elle. Chez elle, c'est juste une pièce obscure,
encombrée de fauteuils et d'une table sur laquelle
trône une télé. Un rideau est tiré sur une porte
que j'imagine être celle de sa chambre, une alcôve
plutôt à en juger d'après l'ombre. Le garçon a disparu, il nous a laissées dans la salle, il est parti
rejoindre ses copains. Nous restons, Julia et moi,
sans rien dire. Le vert des murs et des rideaux, le
rouge sombre des tomettes, les tapis et les nappe-
rons, les photos encadrées accrochées aux murs
empêchent de parler, mais nous ne sommes pas
dans le silence, parce qu'on entend le bruit de la
rue, les klaxons des taxis collectifs, la musique des
boombox dans les bars voisins. Quand je dis à Julia
que c'est elle qui m'a mise au monde, il y a plus de
trente ans, elle qui m'a donné le biberon et s'est
occupée de moi, elle ne répond rien, seulement *a-
an*, comme ça, en hochant la tête, et en se balançant un peu dans son fauteuil. Elle parle bien l'anglais, elle est allée à l'école. J'ai apporté les
papiers que j'ai — pas le passeport tout neuf au
nom d'une certaine Rachel Crosley, mais tout ce

que j'ai sauvé de ma vie d'avant, les papiers de ma naissance, les vaccins et le livret de l'école. Elle les regarde l'un après l'autre attentivement. Je lui montre aussi une vieille photo que je n'ai jamais réussi à perdre, même quand j'avais perdu la tête, sur laquelle je suis avec Bibi, sur la plage de Takoradi, j'ai neuf ans, Bibi quatre, j'ai un bikini blanc et elle juste sa petite culotte, nous avons des chapeaux de paille, l'écume des vagues nous éblouit. Julia prend la photo, elle l'incline à la lumière pour mieux voir. Elle est souriante, mais je sens qu'elle est sur ses gardes. Qu'est-ce qu'une femme comme moi vient faire chez elle ? Peut-être que son petit-fils, le garçon à la casquette, lui a dit de se méfier, de ne rien signer. Elle me rend les papiers, bien rangés en ordre, sans faire de commentaires. Qu'est-ce que j'espérais ? Qu'elle se souvienne, qu'elle m'appelle par mon nom, qu'elle m'embrasse ? Pourtant, quand le moment est venu de m'en aller, Julia va dans sa chambre, elle revient avec un album, et elle me montre les photos de sa famille. Sur l'une d'elles, elle a une trentaine d'années, elle est habillée d'une blouse qui a dû être verte mais la photo n'a retenu que du gris. Sur la tête, une coiffe blanche à ourlet, et aux pieds des tennis blancs. Elle est souriante, derrière elle on voit des berceaux alignés, surmontés de moustiquaires. Je sais pourquoi cette photo m'émeut. C'est la première fois que je suis si près de ma naissance, je n'apprendrai plus rien désormais. Julia a compris mon émotion, un nuage passe sur son visage souriant, quelque chose comme le souvenir, mais c'est évidemment tout à fait impossible, il y a si longtemps. Mon nom et mes papiers ne lui ont rien dit, c'est juste quand je reste penchée sur cette photo, alors elle la détache de l'album et elle me la tend, elle n'a rien d'autre à me donner, rien d'autre à partager, et moi je ne peux pas accepter. Au moment de passer la porte pour me rejeter au-dehors, dans la lumière et le bruit de la rue, elle ouvre ses bras et je me serre contre elle, elle qui est toute petite et légère, mais ses bras sont puissants comme ceux des sages-femmes. *Ma-krow*, je lui dis, les seuls mots de twi que je connaisse, *ma-krow auntie*. Alors elle pose ses mains sur ma tête, elle me donne sa force, une pluie douce et chaude qui descend le long de mon corps et me fait frissonner. Elle retourne vers la maison et elle referme la porte. Moi je marche à nouveau dans la rue, vers la station des taxis. Je suis prise d'une sorte de vertige, la chaleur et la foule sans doute. Et puis c'est toujours un peu angoissant de commencer une nouvelle histoire.

J. M. G. LE CLÉZIO
PRIX NOBEL DE LITTÉRATURE 2008

Aux Éditions Gallimard

PAWANA (Bibliothèque Gallimard nº 112)

LA QUARANTAINE (Folio nº 2974)

LE POISSON D'OR (Folio nº 3192)

LA FÊTE CHANTÉE

HASARD *suivi d'*ANGOLI MALA (Folio nº 3460)

CŒUR BRÛLE ET AUTRES ROMANCES (Folio nº 3667)

PEUPLE DU CIEL *suivi des* BERGERS, *nouvelles extraites de* MONDO ET AUTRES HISTOIRES (Folio nº 3792)

RÉVOLUTIONS (Folio nº 4095)

OURANIA (Folio nº 4567)

BALLACINER

RITOURNELLE DE LA FAIM (Folio nº 5053)

HISTOIRE DU PIED ET AUTRES FANTAISIES

TEMPÊTE. DEUX NOVELLAS (Folio nº 6380)

ALMA

Aux Éditions Gallimard Jeunesse

LULLABY. *Illustrations de Georges Lemoine* (Folio Junior nº 140)

CELUI QUI N'AVAIT JAMAIS VU LA MER *suivi de* LA MONTAGNE OU LE DIEU VIVANT. *Illustrations de Georges Lemoine* (Folio Junior nº 232)

VILLA AURORE *suivi d'*ORLAMONDE. *Illustrations de Georges Lemoine* (Folio Junior nº 302)

LA GRANDE VIE *suivi de* PEUPLE DU CIEL. *Illustrations de Georges Lemoine* (Folio Junior nº 554)

PAWANA. *Illustrations de Georges Lemoine* (Folio Junior nº 1001)

VOYAGE AU PAYS DES ARBRES. *Illustrations d'Henri Galeron* (Enfantimages et Folio Cadet nº 187)

BALAABILOU. *Illustrations de Georges Lemoine* (Albums)

PEUPLE DU CIEL. *Illustrations de Georges Lemoine* (Albums)

MONDO ET AUTRES HISTOIRES. *Illustrations de Georges Lemoine* (Grand format littérature)

Aux Éditions Mercure de France

LE JOUR OÙ BEAUMONT FIT CONNAISSANCE AVEC SA DOULEUR

L'AFRICAIN (Folio nº 4250)

MYDRIASE suivi de VERS LES ICEBERGS

Aux Éditions Stock

DIEGO ET FRIDA (Folio nº 2746)

GENS DES NUAGES, *en collaboration avec Jemia Le Clézio. Photographies de Bruno Barbey* (Folio nº 3284)

Aux Éditions Skira

HAÏ

Aux Éditions Arléa

AILLEURS. *Entretiens avec Jean-Louis Ezine sur France Culture*

Aux Éditions Seuil

RAGA, APPROCHE DU CONTINENT INVISIBLE

COLLECTION FOLIO

Composition : IGS-CP à L'Isle-d'Espagnac (16)
Impresion Novoprint à Barcelone,
le 28 août 2017
Dépôt légal : août 2017

ISBN : 978-2-07-046757-0/Imprimé en Espagne.